理系の文章術

今日から役立つ科学ライティング入門

更科 功 著

ブルーバックス

装幀／芦澤泰偉・児崎雅淑
カバーイラスト／小林愛美
本文デザイン・イラスト／浅妻健司

はじめに

「俺は自分の舌しか信じない」と彼は言った。

彼はラーメンが大好きで、しょっちゅうラーメン屋でラーメンを食べていた。そして、いつも美味（おい）しいラーメン屋を探していた。でも彼は、雑誌やインターネットの情報を信用しない。実際に自分でラーメン屋に行って、自分の舌で美味しいか不味（まず）いかを判断するのだ。彼に言わせれば、雑誌やインターネットの情報なんか、当てにならないそうだ。

彼の生き方は立派である。人の意見に左右されず、信念を持って生きるなんて、誰にでもできることではない。そして、彼のような生き方をしている人には、本書は必要ないだろう。本書は、彼のような信念を持っていない人のために、書かれた本だからだ。

ラーメンを食べて、美味しいか不味いかを言うだけなら、誰にでもできる。でも、なぜ美味しいのか、あるいは、なぜ不味いのか、その理由を説明することは、誰にでもできることではない。そして、その理由の中には、多くの人が共感してくれるものもあるだろう。

つまり、ラーメンが美味しいか不味いかには、何らかの一般性があるはずだ。一般性があるから、つまり他の人ともわかり合える共通性があるから、雑誌やインターネットにラーメン屋の情報があるのだ。もしも、まったく一般性がなかったら、ラーメン屋の情報なんか読んだって、何の役にも立たない。ラーメンの味について、他の人とわかり合えることなんて、何一つないことになるからだ。

もちろん、人には好みというものがある。ある人には美味しいラーメンが、別の人には不味いということもあるだろう。しかし、そうであっても、ラーメンの味にまったく一般性がないことはないはずだ。（すべての人ではなくても）多くの人が共通して美味しいと感じるラーメンは存在するからだ。

文章も同じだろう。きっと、わかりやすい文章とか論理的な文章には、何らかの一般性がある。そして一般性があれば、それは人に伝えることができるはずだ。しかも、その一般性は、短い時間で簡単に伝えることができると私は思う。

たくさん勉強すれば、成績はよくなるかもしれない。でも、あまり勉強しなくても、よい成績が取れることもある。高校の科目の中で、そういう人が一番多いのは国語（古文や漢文は除く）だろう。

もちろん、国語が苦手な人もいる。そんな友人の一人が、こんなことを言っていた。
「国語なんて、どうやって勉強したらいいかわからないから、あんまり勉強しなかったわ。だから、できなかったのかしら？」

いや、多分そうではないだろう。だって、彼女だけが、国語を勉強しなかったわけではない。国語が得意な人だって、国語の勉強をそれほどしていないはずだ。

たしかに、国語を毎日勉強する人もいるかもしれない。でも、英語や数学を毎日勉強する人に比べたら、ずっと少ないはずだ。それは、誰でもある程度は、国語ができるからだ。社会や理科はもちろん、数学や英語の勉強だって、ある程度は国語の勉強になる。そもそも（日本に住んでいれば）日々の生活自体が、国語の勉強になる。だから、みんな国語の基礎力は持っているのだ。この「はじめに」を、つまり今読んでいるこの文章をきちんと読めるなら、もうあなたの国語の基礎力は完璧だ。

あとは、少しコツをつかむだけだ。それには長い時間はかからない。1時間前にはまったく自転車に乗れなかった人が、今ではスイスイ乗れたりする。それが、コツをつかむということだ。

本書は「科学に関する文章の書き方（科学ライティング）」の本である（ただし、科学にかぎらず他の分野でも、論理的な文章を書くときには役に立つだろう）。科学に関する文章を書く機会で、一番多いのは、おそらく大学や高校での論文やレポートだろう。筆記試験では「～について論ぜよ」みたいな問題もよく出題される。大学院生や研究者になれば、雑誌やウェブサイトに記事を書くこともある。研究費の申請書や報告書なども書かなくてはいけない。忙しいので、なかなか落ち着いて文章の書き方を考える時間は取れない。でも、本書なら、短い時間で読めるはずだ。

なお、本書には、多くの文献の文章を参考にさせていただいた。ただし、参考にさせていただいた文章の多くには、大なり小なり私によって手が加えられている。中には、本書の趣旨を説明しやすいように、わざと悪い文章に変更したものさえある。したがって、本書中の文章の責任はすべて著者にある。参考にさせていただいた文献は、巻末に挙げた。

著者

目次

第3章　わかりやすい文章　83

第4章 パラグラフ・ライティング 147

第5章 科学ライティング

183

第1章　読者

1・1　読者のことを考える

文章には、読者がいる文章と、いない文章がある。たとえば、多くの日記は読者がいない文章だ。しかし、本書で扱うのは、読者がいる文章である。

読者がいる文章を書く理由は、「著者の考えを読者に伝える」ためだ。野球でピッチャーがキャッチャーにボールを投げるときは、キャッチャーの方を見なければならない。読者がいる文章を書くときも、著者は読者の方を見なくてはならない。だから、当たり前だが、「読者のことを考える」ことはとても大切だ。

ただし、この「読者のことを考える」という文には、2つの意味がある。その2つは、それぞれ文章を書くときに一番大切なことと、二番目に大切なことでもある。

1・2　二番目に大切なこと

「読者のことを考える」という文の、二番目に大切な意味は、「読者が誰かを考える」ということだ。たとえば、研究費の申請書なら、読者はその研究分野が専門の審査員だ。小学生新聞に記事を書くなら、読者は小学生だ。一般書籍や新聞に書く場合は、読者が不特定多数のこともある。不特定多数の場合は、年齢が10代後半以上で、学力は高校卒業程度以上の人を、読者と想定することが多いようだ。

読者が不特定多数の場合は、頭の中にできるだけ具体的に読者のイメージを描いてしまうとよい、という意見もある。たとえば、「50代の男性で、高校を卒業して中堅の電機メーカーに就職し、結婚して子供が2人いる人」というような具体的なイメージを頭に描いて、その人が読者だと思って書くとよいというのだ。

でも、私はそうは思わない。たとえ平均的な人がいたとしても、その人一人に向けて書いた文章と、不特定多数に向けて書いた文章は、違うものになるはずだ。なぜなら、言葉や文化には多様性があるからだ。

読者が特定の地域の人なら、文章に方言を使ってもよいだろうし、その地域の文化を例に挙げて説明することも可能だろう。そういう文章は、その地域に住む人にとって、わかりやすい文章になるはずだ。

また、読者が特定の年齢層なら、その年齢層の人が親しんできた言葉や文化がある。そういう言葉や文化を使った文章は、その年齢層の人にとって親しみやすいものになるだろう。

しかし、これらの文章は、他の地域に住む人や他の年齢層の人にとっては、わかりにくい文章だ。だから、不特定多数の読者に向けて、そういう文章を書いてはいけない。

不特定多数の読者に向けた文章には、それなりの書き方がある。なるべく広く使われている言葉や広く知られている物事だけを使って、文章を作っていくのだ。豊かな多様性をもつ日本語の一部しか使えないのだから、不特定多数に向けた文章は窮屈である。でも、それは仕方がない。

どうしても読者のイメージを具体的に描きたいなら、たとえば、高校生とお年寄りなど、知識の量や質が大きく異なる2人を読者として考えるとよい。「ちょっと、この文章はわかりにくいかな」と思ったときに、頭の中の高校生とお年寄りに読んでもらって、チェックする。そうして、2人にとって、わかりやすい文章を書いていくのである。そうすれば、ほぼ不特定多数に向けた文章になる。

一方、読者の数が少ないほど、読者がどんな人か決まっているほど、文章は自由で書きやすい。相手が1人で、しかもよく知っている人に出すメールなら、

「あれは?」

「終わった」

「そうか、まあ元気だせよ」

という文でも、十分通じる。

そして、多くの文章の読者の範囲は、「不特定多数」と「１人」の中間だろう。その場合は、想定する範囲の読者に通じるように書けばよい。

１・３　読者の目的を考える

以上に述べたように、「読者が誰かを考える」ことは大切だ。でも、考えるだけでは意味がない。読者が誰かによって、文章を変えなくてはならないなら、考えても文章が変わらないなら、考えるだけ無駄である。

読者が誰かによって、文章を変えなくてはならない理由は、読者ごとに（１）知識と（２）目的が違うからだ。「知識」については前節で述べた。「目的」については、ケース・バイ・ケースで考えていくしかないが、ここでは２つの例について考えてみよう。

ある大学生が期末試験を受けたとする。目の前には問題用紙と解答用紙がある。問題用紙には「恐竜の絶滅について論ぜよ」と書いてある。さて、どんな文章を解答用紙に書いたらよいだろうか。

まず、読者を考えよう。あなたが解答用紙に書く文章の読者は、講義をしていた先生だ。ということで、とりあえず読者はわかった。それでは次に、その先生の（１）知識と（２）目的を考えよう。（1）知識については、だいたいわかっている。一応先生なのだから、知識はそこそこあるはずだ。もし読者が小学生なら、難しい言葉を使わないように気をつけなくてはいけないが、そういう気遣いはいらないだろう。

（2）目的については、どうだろう。先生が答案を読む目的って、何だろうか。大学から給料をもらうためかもしれないが、少なくとも建て前は、学生を教育するためだろう（もちろん、本音の人もいます）。そういう先生の目的に適った文章を書くことが望ましい。

さて、問題文は「恐竜の絶滅について論ぜよ」であった。学生Aは解答用紙に、

「恐竜は、中生代が終わる約6600万年前に絶滅したと、よく言われる。しかし、その一部は鳥として生き残っている。」

と書いた。もう一人の学生Bは、

「恐竜は絶滅したのだろうか。でも、鳥は恐竜の子孫だ。鳥は今も生きている。したがって、恐竜は絶滅していない。」

と書いた。2人とも、答えの内容に間違いはない。しかし、学生Aは不合格になって単位が取れなかった。一方、学生Bは合格して、無事に単位を取ることができた。学生Aの答えは、何がいけなかったのだろうか。それは読者（先生）の目的を取り違えたからである。

1・4 「論ぜよ」と「述べよ」

問題文は「恐竜の絶滅について論ぜよ」だった。最後が「論ぜよ」となっている。もし最後が「述べよ」とか「説明せよ」だったら、知っていることを書くだけでよい。だから、学生Aも合格点がもらえただろう。しかし、「論ずる」には「推論する」という意味が含まれる（「論証」も「推論」と同じ意味だが、本書では「推論」を用いることにする）。推論には、根拠と結論がなくてはいけない。たとえば、以下の文章は推論である。

クモの肢は8本である。　　　（根拠1）
タランチュラはクモである。　（根拠2）
タランチュラの肢は8本である。（結論）

おそらく「恐竜の絶滅について論ぜよ」を出題した先生は、学生に知識を問うだけでなく、推論させるのも目的だったのだろう。そのため、「論ぜよ」と問題文に書いたのだ。その目的に適った答えを書いたのは学生Bだ。学生Bの答えは、

鳥は恐竜の子孫だ。（根拠1）
鳥は今も生きている。（根拠2）
したがって、恐竜は絶滅していない。（結論）

という形をしているので、推論になっている。しかし、学生Aの答えは、「恐竜は、中生代が終わる約6600万年前に絶滅したと、よく言われる。しかし、その一部は鳥として生き残っている。」なので、推論の形をしていない。そのため、不合格になったのだ。

ただし、「論ぜよ」と「述べよ」「説明せよ」の違いをあまり気にしていない先生もいるので、学生Aの答えでも合格点をもらえる可能性はある。とはいえ、答える側としては、きちんと区別しておいた方が安全だろう。

1・5 審査員が知りたいこと

もう一つだけ、よくあるケースを考えてみよう。あなたが研究者で、研究計画を記した文章を、A氏とB氏の2人に送る場合だ。

A氏は、あなたの共同研究者で、実験を分担して行うことになっている。一方、B氏は、研究費の審査員だ。あなたは研究費が欲しいので、研究計画を記した申請書をB氏に提出したのである（実際には、審査員が誰かはわからない）。

こういう場合、あなたがA氏とB氏に送った文章は、内容が違うはずだ。共同研究者であるA氏に送った文章には、研究の方法や必要な材料が詳しく書いてある。一方、B氏に送った文章には、方法や材料はそれほど詳しく書かれていない（もちろん研究が実行可能であることを示す程度には、詳しく書かなければならないけれど）。それよりも、この研究が成功する見込みや、成功したときに社会に与える影響が詳しく書いてある。

A氏もB氏も研究者なので、（1）知識は同じようなものだろう。しかし、あなたの文章を読む（2）目的は違う。A氏は研究を実行すること自体に、B氏は研究の実行可能性や実行された後の成果に、おもな興味がある。A氏とB氏は、異なる目的をもって読むのである。

「読者が誰かを考える」というのは、読者の（1）知識と（2）目的を考えることだ。そして間違えやすいのは、（2）目的の方だ。

もちろん、読者について考えようと思えば、（1）知識と（2）目的以外にも、考えることはいくらでもある。でも、あまり詳しく考えても、それを文章に反映させられなければ、意味がない。実際には、読者の（1）知識と（2）目的を考えて、それを文章に反映させるぐらいで精一杯だろう。

1・6　自分も読者

これは個人的なことかもしれないが、私が文章を書くときには、私自身も読者の一人として考えている。だから、自分の書いた文章が載っている雑誌や本は、なるべく手元に置いて、すぐに読めるようにしている。

そのおもな理由は、事典として使うことだ。自分の書いた文章なら、言葉や数字の確認だけでなく、推論の仕方も読み直して参考にすることがある。自分の書いた文章なら、何がどこに書いてあるか、だいたい覚えている。しかも、書くときには自分が納得するまで調べて、できるかぎり正確に書いている。そのため、自分の本に書いてあることは、自分としては信用できる。だから、事典としては便利なのだ。

『すべてがFになる』などで有名な作家、森博嗣は出版された自分の本をまったく読まないという。もっとも、これは小説についての話だろう。森博嗣は、以前は大学の研究者で、科学技術関係の論文も書いている。このような論文については、読み返すこともあるのではないだろうか(本当のところは知らないけれど)。

1・7　一番大切なこと

「読者のことを考える」という文の二番目に大切な意味は、「読者が誰かを考える」ということで、具体的には読者の知識と目的を考えることだった。では、一番大切な意味は何かというと、それは「読者の立場になって考える」ということだ。だが、これは簡単なことではない。

力のないお年寄りが料理をしている。鍋を持つ手も、見るからに弱々しい。あなたは優しいので、きっと手伝うだろう。そういうときに、「お年寄りには力がない」ということを知識として知っているだけでなく、お年寄りの立場になって考えることができれば、さらに細かいところまで気を配ることができる。

たとえば、そのお年寄りの力は、あなたの力の半分だったとしよう。そのとき、お年寄りが住んでいる世界は、地球の重力が2倍になった世界だ。すべての物の重さが2倍になった世界だ。大したことがないように思えるとしたら、それはあなたがお年寄りの立場になって考えていないからだ。

もし重力が2倍になれば、鍋の重さも2倍になる。そして、あなたの体重も2倍になる。つまり、あなたが歩くときには、人間を1人おんぶして歩いているようなものだ。平らなところを歩くのだって大変だ。さらに階段があれば、人間をおんぶしたまま、昇ったり降りたりしなくてはならない。足を踏み外しそうで、危なくてたまらない。でも、そのお年寄りが住んでいるのは、そういう世界なのだ。

思いやりは想像力だ、という。誰かが、つらい思いをしている。そういうときに、いくら相手の状況を正確に理解できても、相手の立場になって考えることができなければ、思いやりは生まれてこない。文章を書くときも同じである。相手の立場になって考えなければ、こちらの考えがきちんと読者に伝わらない。では、具体的にはどうしたらよいだろうか。それは、本書の第2章以降のすべてを使って、考えていくことにしよう。

第2章　論理と接続

文章というものは、たくさんの文が集まったものである。だから、文章を読むというのは、たくさんの文を最初から順番に読んでいくことだ。その過程で、文と文の意味がつながって、大きな主張へとまとまっていく。したがって、文章がわかるためには、文と文のつながり方を理解することが不可欠である。そこで、この章では、文と文のつながり方に注目しよう。

2・1　大江健三郎の文章はわかりにくいけれど

この本の目的は、わかりやすい文章を書けるようになることだ。そのためには、わかりにくい文章を書かなければよい。

しかし、わかりにくい文章というものは、必ずしも悪いものではない。たとえば、芥川賞やノーベル文学賞を受賞した小説家である大江健三郎の文章は、わかりにくい文章だ。とくに、大江の評論はわかりにくい。

もうずいぶん前の話だが、私が大学に入った年に、『大江健三郎同時代論集』の第1巻が、岩波書店から発売された。それから毎月発売される度に買って読み、最終巻（第10巻）まで揃えたのを覚えている。

ところが、月に1冊読むだけなのに、それが結構つらかった。文章がわかりにくいので、スラスラと読めないのだ。とはいえ、大江の文章は、わかりにくいけれどカッコいいので、大学生の私には憧れの文章だった。大江の文章がわかりにくいのは、大江が文章を書くのが下手だからではない。文章で表現するのが難しいことを、文章で表現しようとしているからだろう。だから仕方がないのだ。

ここで、つい忘れがちだけれど、大切なことがある。それは、「大江の文章はわかりにくいけれど、わかる文章だ」ということだ。よく読めば、ちゃんとわかるのだ。

世の中には、大きく分けて、「わかる文章」と「わからない文章」がある。そして、「わかる文章」の中に、「わかりやすい文章」と「わかりにくい文章」がある。大江の文章は、「わかる文章」の中の「わかりにくい文章」だ。一方、この本の目標は、「わかる文章」の中の「わかりやすい文章」だ。

もちろん、同じ文章でも、その文章をわかりやすいと感じるか、わかりにくいと感じるかは、人によって違う。たとえば、ある分野に詳しくない人には、その分野の専門用語が多い文章はわかりにくい。一方、その分野に詳しい人には、専門用語が多い文章の方がわかりやすい。適切な専門用語は、複雑な概念を一言で示すことができるので、文章の内容を理解しやすくしてくれる。しかし、そのあたりの調節は、読者のことを考えるときにしてもらうことにして、ここではもっと一般的な話をする。

それでは、この第2章では「わかる文章」について、次の第3章では「わかりやすい文章」について、考えてみよう。

2・2 「そもそも」の意味

日本の国会で、実際にあった話である。ある宗教団体が「そもそも犯罪を犯すことを目的とした集団」であるかどうか、という話になった。そのときに首相は、「『そもそも』には『基本的に』という意味があり、辞書にもそう載っている」と説明した。

後日、新聞や野党の議員から「そもそも」に「基本的に」という意味が載っている辞書はないと反論されると、政府は反論に反論する形で、首相の説明は正しいとする答弁書を閣議決定した。政府の論理は、以下のようなものだった。

ある辞書には「そもそも」の意味として「どだい」と書いてある。次にその辞書で「どだい」を調べると、「物事の基礎。もとい。基本。」と書いてある。したがって、「そもそも」には「基本的に」という意味がある。

この論理は一見正しそうにみえる。文章を読んでいても、ときどきこういう論理を目にする。少し検討してみたいが、その準備として、まず別の例を考えよう。

日本語の「わに」という言葉は、爬虫類のワニを指す場合と、魚類のサメを指す場合の2通りがある。日本の昔話で「わに」が出てくれば、それは魚類のサメを指している可能性が高い。一方、「ふか」という言葉は、魚類のサメを指す言葉で、爬虫類のワニという意味はない。さてここで、辞書を引いて「わに」と「ふか」を調べたら、以下のように書いてあったとしよう。

「わに」↓①魚類のサメのこと。ふか。　②爬虫類のワニのこと。
「ふか」↓魚類のサメのこと。わに。

「ふか」の項目の説明として「わに」と書いてあるが、もちろんその「わに」は魚類のサメのことであって、爬虫類のワニのことではない。その場合に、以下のような主張は正しいだろうか。

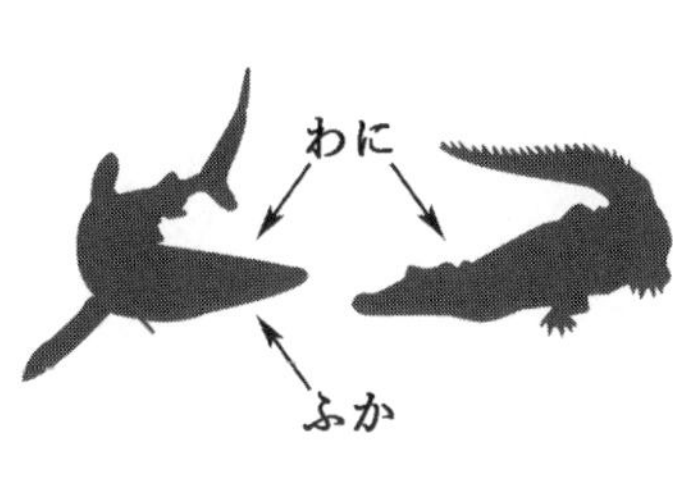

ある辞書には「ふか」の意味の一つとして「わに」と書いてある。次にその辞書で「わに」を調べると、「爬虫類のワニ」と書いてある。したがって、「ふか」には「爬虫類のワニ」という意味がある。

もちろん、この主張はおかしい。辞書には「ふか」は「わに」のことだと書いてあるが、この場合の「わに」は爬虫類のワニではなく、魚類のサメのことだからだ。「ふか」には「爬虫類のワニ」という意味はないのである。

国会の話も、これと同じである。じつは、政府が調べた辞書には、「どだい」の意味として「基本」だけでなく「最初」も載っている。したがって、同じ辞書の「そもそも」の項目に書かれている「どだい」は、当然「基本」という意味ではなく「最初」という意味であろう。したがって、辞書を正しく読めば、「そもそも」という言葉は「基本的に」という意味ではなく、「最初から」という意味である、と結論されるはずだ。

2・3 根拠は正しくても結論が正しくない

前節の話は、ただの笑い話ではなく、なかなか興味深い話である。なぜなら、この話は、文章を書くときに陥りやすい落とし穴の例になっているからだ。

政府は、根拠を提出して結論を述べている、つまり、以下のような推論を行っている。

［推論1］
（根拠1） 辞書に「そもそも」の意味として「どだい」と書いてある。
（根拠2） 辞書に「どだい」の意味として「基本」と書いてある。
（結論） 「そもそも」には「基本」という意味がある。

根拠が2つ示されているが、じつはこの根拠は両方とも正しい。もっとも、根拠2については、文句のある人もいるかもしれない。辞書には「どだい」の意味として「基本」の他に「最初」も載っているのに、そのことが書いていないからだ。しかし、根拠2は、「どだい」の意味として「基本」と書いてあると言っているだけで、「基本」しか書いていないとは言っていない。だから、根拠2は正しい。

ということで、根拠は両方とも正しい。そして私たちは、根拠が正しければ結論も正しいと、つい思ってしまう。でも、そんなことはないのだ。

では、なぜ、推論1が間違っているのかを考えてみよう。推論1の根拠1は、「そもそも」の意味は「どだい」である、ということだ。これを次のように、矢印を使って表そう。

(根拠1)　「そもそも」↓「どだい」

同じように、根拠2も矢印を使って表すと、

(根拠2)　「どだい」↓「基本」

となる。そして、根拠1に根拠2を接続すると、

(根拠1＋2)「そもそも」↓「どだい」↓「基本」

となる。つまり、

「そもそも」↓「基本」

となって、結論が導かれる。何だか正しそうにみえるけれど、どこが間違っているのだろうか。それは、根拠1と根拠2はそれぞれ正しいのだが、根拠1と根拠2の接続が間違っているのである。

2・4　論理とは何か

今まで「論理」という言葉を説明せずに使ってきたので、ここで説明しておこう。論理とは「主張と主張のつながり方」のことである。したがって、もし主張が1つしかなければ、そこに論理はない。

文章では、1つの文が1つの主張をしていることもあるし、2つ以上の主張をしていることもある。いくつかの文が集まった段落が、1つの主張をしていることもある。それらの主張のつながり方が論理である。そして、文章における論理でもっとも重要なのは、文と文のつながり方である。

推論1における論理は、「根拠1と根拠2のつながり方」である。根拠1だけ（あるいは根拠2だけ）では、論理は生まれない。根拠1と根拠2がつながって、はじめて論理が（正しいにせよ間違っているにせよ）生まれるのである。

推論1で、根拠1と根拠2をつなげているのは、「どだい」という単語である。しかし、よく考えてみると、根拠1における「どだい」は「最初という意味のどだい」だ。一方、根拠2における「どだい」は「最初と基本という2つの意味をもつどだい」である。したがって、根拠1の「どだい」と根拠2の「どだい」は、見た目は同じ単語だが、意味が違う。たとえ同じ単語でも、意味が違う場合は、2つの主張をつなげるために使えないのである。

考えてみれば当たり前のことだけれど、こういう不適切な論理はしばしば見られるので、文章を書くときには注意しなければならない。

それでは次に、同じ意味の単語を使って、きちんと主張をつないでいる例を見てみよう。これなら問題はないだろうか。

2・5　風が吹けば桶屋は儲かるか

風が吹けば桶屋が儲かる、という話がある。これは、江戸幕府の八代将軍徳川吉宗の孫である松平定信が、以前からあった話を少し修正して作ったものらしい。それが落語などによって伝えられたので、現在でも広く知られる話となっている。

風が吹けば桶屋が儲かるという話を、主張ごとに根拠と結論に分けると、以下のようになる。

（根拠１）風が吹けば、土ぼこりが立つ。

（根拠２）土ぼこりが立てば（土ぼこりが目に入って）、失明する。

（根拠３）失明した人は、（生計をたてるために）三味線を買う。

（根拠４）（三味線の撥皮（ばちかわ）にはネコの皮が使われるので）三味線が売れれば、ネコが減る。

（根拠５）ネコが減ると、ネズミが増える。

（根拠６）（ネズミは桶をかじるので）ネズミが増えれば、桶が壊れる。

（根拠７）桶が壊れれば、桶が売れる。

（根拠８）桶が売れれば、桶屋が儲かる。

（結論）風が吹けば、桶屋が儲かる。


根拠を接続すると、次のようになる。

風が吹く　↓　土ぼこりが立つ　↓　失明する　↓　三味線が売れる　↓　ネコが減る　↓
ネズミが増える　↓　桶が壊れる　↓　桶が売れる　↓　桶屋が儲かる

この推論の主張のつながり方に問題はない。たとえば、根拠1と根拠2の「土ぼこり」は同じ意味なので、根拠1と根拠2はきちんとつながる。同様にして、根拠1から根拠8まで、きちんと接続されている。でも、結論はおかしい。どうしてだろうか。

この推論の根拠となっている8つの主張は、いずれも因果関係を表している。たとえば、根拠3では「失明したこと」が原因で、「三味線を買う」という結果が起こる。この根拠3は間違ってはいないけれど、かといって100パーセント正しいわけでもない。現実の世界では、100パーセント正しい因果関係というものは、ほとんど存在しないのである。

因果関係というものは、一定の傾向を示す場合が多い。たしかに昔は、失明した人が三味線を買うことが多かったらしい。しかし、失明した人全員が三味線を買ったわけではないだろう。そこで、8つの根拠それぞれで、結果が起きる確率を、仮に70パーセントとしてみよう。つまり、根拠3なら、失明した人が100人いたとき、そのうちの70人が三味線を買ったと考えるわけだ。

風が吹いてから桶屋が儲かるまで、8つの根拠がある。それぞれの根拠が実現する確率が70パーセントだから、桶屋が儲かる確率は0・7を8回掛ければ求められる。

0・7×0・7×0・7×0・7×0・7×0・7×0・7×0・7＝0・0576…

つまり、桶屋が儲かる確率は、約6パーセントだ。ということは、儲からない確率は、約94パーセントになる。儲かる場合より儲からない場合の方が多いのだから、この推論は正しいとは言えない。

100パーセント正しい主張なら、いくつ接続してもかまわない。しかし、ほぼ正しいけれど100パーセントは正しくない主張の場合、あまりたくさん接続してはいけないのだ。そして、現実の世界における多くの主張は、100パーセントは正しくない主張である。だから、たとえば、2つの主張を接続するのはよいけれど、10個の主張を接続してはいけない、といったことが起きる。接続の回数も重要なのだ。

それでは次に、結果が起きる確率が100パーセントの主張を、同じ意味の単語を使ってきちんとつないでいる例を見てみよう。これなら問題はないだろうか。

2・6　逆・裏・対偶

私たちは肺を使って、空気中で呼吸をしている。魚は鰓(えら)を使って、水中で呼吸をしている。でも、魚の中には鰓だけでなく肺も持っているものがいる。たとえば、金魚がそうだ。金魚が水面に上がってきて、口をパクパクさせている姿を見たことがあるかもしれない。あれは、空気呼吸をしているのだ（魚の肺は開鰾と呼ばれるが、進化的な起源を考えれば完全に肺である）。一方、水中に棲んでいながら、鰓を持たないクジラのような動物もいる。クジラには肺しかないので、空気呼吸しかできない。さて、それでは次の文章を読んでみよう。

［例文2－1］
水中に棲むものだけが鰓を持っている。そして、魚類は水中に棲んでいる。したがって、魚類は鰓を持っている。

この推論を、根拠と結論に整理すると、以下のようになる。

［例文2－1］
（根拠1） 水中に棲むものだけが鰓を持つ。
（根拠2） 魚類は水中に棲む。
（結論） 魚類は鰓を持つ。

根拠1は意味を取り違えやすいので注意しよう。「水中に棲むものだけが鰓を持つ」という文章を「水中に棲むものは鰓を持つ」という文章と間違える人が多いからだ。

水中に棲む生物には、魚のように鰓を持つものもいれば、クジラのように鰓を持たないものもいる。「水中に棲むものは鰓を持つ」という主張は、「水中に棲むものはすべて鰓を持つ」という意味である。クジラの存在は、この主張に反する。したがって、「水中に棲むものは鰓を持つ」という主張は、正しくない。

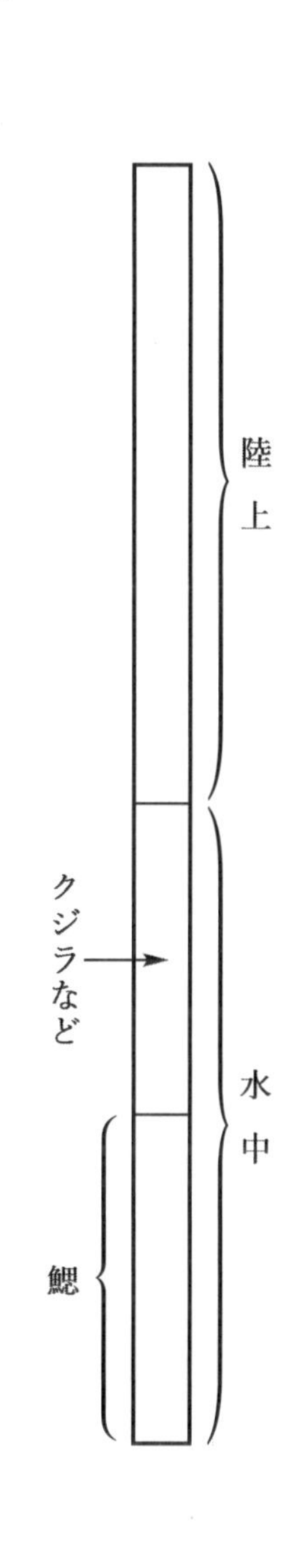

一方、（完全に）陸上に棲んでいる生物で、鰓を持つものはいない。したがって、「水中に棲むものだけが鰓を持つ」という主張は正しい。なぜなら、この主張は、「鰓を持つものは必ず水中にいる」と言っているだけで、「水中に棲むものすべてが鰓を持つ」とは言っていないからだ。
「男性は子供を産まない。女性だけが子供を産む」という主張は、「子供を産むのは必ず女性

だ」と言っているだけで、「すべての女性が子供を産む」とは言っていないのだ。
それでは、矢印を使って表してみよう。「水中に棲むものは鰓を持つ」は「水中に棲むものはすべて鰓を持つ」ということなので、

水中に棲む　→　鰓を持つ

と表せる。一方、「水中に棲むものだけが鰓を持つ」は「水中に棲まないものは鰓を持たない」と言い換えられる。これは「鰓を持つものは水中に棲む」と同じ意味なので、

鰓を持つ　→　水中に棲む

と表せる。つまり、以下のようにまとめられる。

「水中に棲むものは鰓を持っている」＝「水中に棲む　→　鰓を持つ」
「水中に棲むものだけが鰓を持っている」＝「鰓を持つ　→　水中に棲む」

この２つは、矢印の向きが逆になっている。こういう関係を「逆」と言う。このような主張と主張の関係は、以下のようにまとめられる。

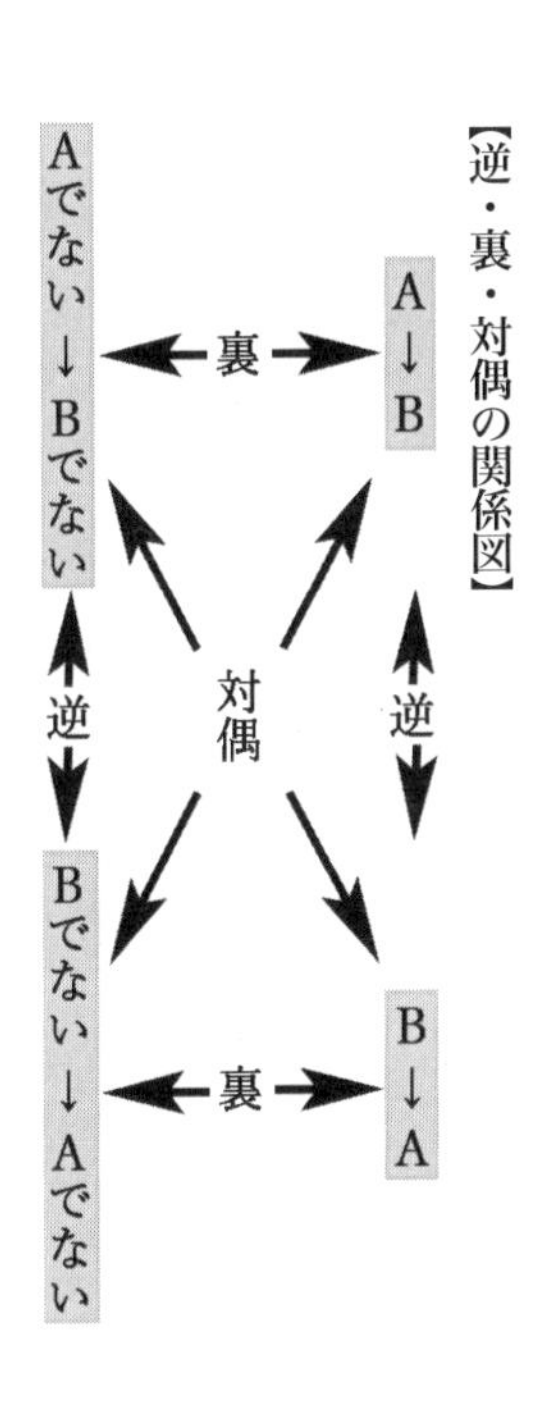

もしも、ある主張が正しければ、その対偶は必ず正しい。しかし、逆や裏は正しいとは限らない。場合によっては正しいこともあるけれど、逆や裏という主張の形からは正しさが保証されないのである。

それでは、例文２－１を矢印を使って表してみよう。

［例文２－１］

（根拠１）　鰓を持つ　↓　水中に棲む
（根拠２）　魚類　↓　水中に棲む
（結論）　魚類　↓　鰓を持つ

仮に、根拠1が逆（水中に棲む　↓　鰓を持つ）であれば、根拠２に根拠１を接続して、

魚類　↓　水中に棲む　↓　鰓を持つ

となり、結論が正しく導かれる。しかし、例文２－１のままでは、根拠１、２やそれらの対偶をどう組み合わせても、結論を導くことができない。したがって、例文２－１の推論は、逆を使ってしまった誤りということになる。

ただし、じつは結論の内容は正しい。すべての魚類は鰓を持っているからだ。でも、これはたまたまであって、推論としては誤りだ。口から出まかせを言っても、たまには当たることもあるのである。

2・7　文と文をきちんとつなげる

ここまで、単語による接続や、接続の回数や、主張の形（逆・裏・対偶）などを例に、論理について考えてきた。さて、それでは次に、論理を文章として表現することを考えてみよう。

論理とは、主張と主張のつながり方のことだった。その論理を、文章では、文と文のつながり方として表現することが多い。文と文のつながり方を示すのは、接続表現である。

［問題2－1］　次の（1）～（3）の発言をした人の中で、彼のことが一番好きなのは誰か。

（1）彼はカッコいい。ただし、性格は悪い。
（2）彼はカッコいい。しかし、性格は悪い。
（3）彼はカッコいい。一方、性格は悪い。

また後でも説明するので、ここでは簡単に述べよう。（1）～（3）は、それぞれ2つの文からなる文章で、接続表現だけが違っている。（1）の「ただし」は、前の文に重みがあることを示す。（2）の「しかし」は後の文に重みがあることを示す。（3）の「一方」は、前後の文が対等であることを示す。

カッコよければ好きになるかもしれないが、性格が悪ければ嫌いになる可能性が高い。そこで、少なくともこの3人の中で彼のことが一番好きなのは、（1）を言った人になる。

［問題2－1の解答］（1）

このように接続表現は、文と文のつなぎ方を示すことによって、論理を示す力がある。もしも論理が変われば、文章の内容も変わってしまう。したがって、論理的な文章において、接続表現の使い方は非常に重要である。

さらに、もう一つ、接続表現には重要な働きがある。

通常、文章は、前から後ろへ読んでいくものだ。しばしば前に戻って読み直さないといけない文章は、とても読みにくい。しかし、接続表現があれば、次の論理展開を予想しながら文章を読める。前に戻って読み直さなくてよくなるのだ。

［例文2－2］

チーターは走るのが速い。チーターは長距離を走れない。チーターに追いかけられたら、たいてい助からない。

例文2－2は、接続表現がないので読みにくい。こんなに短い文章なのに、思わず前に戻って、読み直した人もいるのではないだろうか。それでは、接続表現を入れてみよう。これだけで、ぐっと読みやすくなるはずだ。

［例文2－2に接続表現を入れた文章］
チーターは走るのが速い。ただし、チーターは長距離を走れない。とはいえ、チーターに追いかけられたら、たいてい助からない。

例文2－2に接続表現を入れた文章では、第1文「チーターは走るのが速い。」の次に、「ただし」という逆向きの主張をつなげる接続表現が現れる。そのため、前もって第2文の内容が予想できる。第1文と逆向きの主張だから、「走る」ことに関してネガティブな内容がくると予想できるのだ。そういう予想をした後で、実際の第2文「チーターは長距離を走れない。」を読めば、内容が自然に頭に入ってくるので、文章は読みやすくなる。

第2文「ただし、チーターは長距離を走れない。」の次にも、「とはいえ」という逆向きの主張をつなげる接続表現が現れる。第2文は「走る」ことに関してネガティブな内容だったので、第

3文はさらに反転して、「走る」ことに関してポジティブな内容に戻ることが予想できる。そして予想通り、第3文「とはいえ、チーターに追いかけられたら、たいてい助からない。」は「チーターの走る速さ」を強調した内容になっている。

ただし、接続表現も万能ではない。

［例文2−3］

女子高生のAさんは、同じクラスのBくんに、密かに想いを寄せている。しかも最近Bくんも、妙にAさんに優しいような気がする。

「ひょっとして、Bくんも、私のことが好きなのかも……」

そう思ったAさんは、勇気を出してBくんに聞いてみた。

「ねえ、Bくん……Bくんは、どうしてそんなに、私に優しいの？」

「そんなの、決まってるじゃないか。だって、僕は……」

「えっ……」

Aさんの顔が赤くなる。

「だって、僕は、誰にだって優しいんだから……」

Aさんはムッとして、ますます顔が赤くなる。

「もう、いい。あっち、行って……」

人の心の中を、直接、覗くことはできない。だから、心の中は、その人の行動から推測するしかない。そこで、Aさんは、次のような論理を、頭の中に描いていた。

(Aさんの論理)　Bくんは A さんに優しい。だって、Bくんは A さんを好きだから。

しかし、Bくんの論理は、以下のようなものだった。

(Bくんの論理)　Bくんは A さんに優しい。だって、Bくんは誰にでも優しいから。

Aさんの論理でもBくんの論理でも、第1文「Bくんは A さんに優しい。」の次には「だって」が続く。「だって」は、「結果の主張に根拠の主張をつなげる」接続表現である。そのため、第2文では、BくんがAさんに優しい根拠が述べられると予想できる。そこまでは、Aさんの論理でもBくんの論理でも同じだが、その理由がAさんとBくんでは違っていたのである。Aさんは予想が外れたので、ムッとしたわけだ。

例文2－3における「だって」のように、接続表現によって予想できるのは論理（文と文のつながり方）だけで、内容までは予想できないのである。

このように、接続表現の力には限界がある。その限界の中で接続表現を適切に使うことが大切だ。

以上をまとめると、接続表現には2つの大きな役割がある。

（1）文と文のつなぎ方を示すことによって、論理を示すこと。

（2）後の文の論理を予想させて、文章を読みやすくすること。

それでは、具体的に、接続表現を検討してみよう。

2・8　接続表現❶　～順接、付加～

接続表現にはさまざまなものがある。接続詞（だから、しかし、等）や、接続助詞（～ので、～から、等）や、副詞（むしろ、かえって、等）や、句（要約すれば、その結果、等）などである。また、別の分類としては、接続表現をその働きから分けることもある【表2－1】（81ページ）。

これらの接続表現を、一つ一つ検討していく必要はないだろう。この本の読者は、接続表現をほぼ使いこなしているだろうし、明らかに間違った接続表現を使うことはないだろう。

しかし、間違いではないけれど、もう少し適切な接続表現を使えばいいのに、と思わせる文章はよくある。接続表現が適切でないために、文章の論理がズレてしまうことは、珍しくないのである。

それでは、そういう少し気になる接続表現を、３つのグループに分けて検討してみよう。まずは、順接と付加の接続表現である。

(1) 付加

ある主張に別の主張を付け加える。「そして」「また」「しかも」「さらに」「むしろ」などがある。

(2) 順接

根拠となる主張に、その結果となる主張をつなげる。「だから」「したがって」「～ので」「～から」などがある。

付加の接続表現の中で、最初に注意すべきものは「そして」だ。なぜなら、「そして」は典型的な付加の接続表現であるにもかかわらず、順接の接続表現と間違えやすいからだ。

［問題2-2］　次の文章の（　）の中から適切な接続表現を選べ。

（1）部屋から一人ずつ出ていった。（そして／だから）、誰もいなくなった。
（2）今朝は寒かった。（そして／だから）、ストーブを点けた。

まず、（1）から検討しよう。部屋から一人ずつ出ていったからといって、一人もいなくなるとは限らない。部屋の中に、もし最初に10人いれば、一人ずつ6人が出ていったとしても、4人は残るからだ。したがって、前の文は後の文の根拠にはならないので、順接の接続表現「だから」は入らない。ちなみに、もし前の文が「部屋から全員が出ていった」であれば、前の文は後の文の根拠になるので、「だから」が入る。

しかし、（1）の場合は、前の文だけでなく後の文も読み終わってから、初めて10人全員が出ていったことがわかる。したがって、前の文を読み終わった時点では、後の文は読者にとって、情報を付け加える文と予想してもらうのがよい。そこで、付加の接続表現「そして」が適切ということになる。

次は（2）だ。寒かったから、暖まるためにストーブを点けたのだ。つまり、前の文は後の文の根拠になっている。したがって、（　）には順接の接続表現「だから」が適切である。

ただし、前後の文脈によっては「そして」も使えないことはない。「そして」には推移（時間が経つにつれて物事が移り変わっていくこと）の意味合いがあり、時間が流れていくことを強調する場合は「そして」がよい。しかし、（2）の文章を読んだだけなら、「だから」の方が自然だろう。

［問題2－2の解答］

（1）そして　（2）だから

問題2－2は簡単そうにみえて、意外と難しかったのではないだろうか。解答とは反対に、（1）に「だから」を、（2）に「そして」を入れても、ものすごく不自然な文章にはならないからだ。せいぜい、少し違和感がある程度だろう。しかし、小さな違和感も、たくさん重なれば大きな違和感となり、論理を取り違える原因となる。

さて、次の話に移ろう。

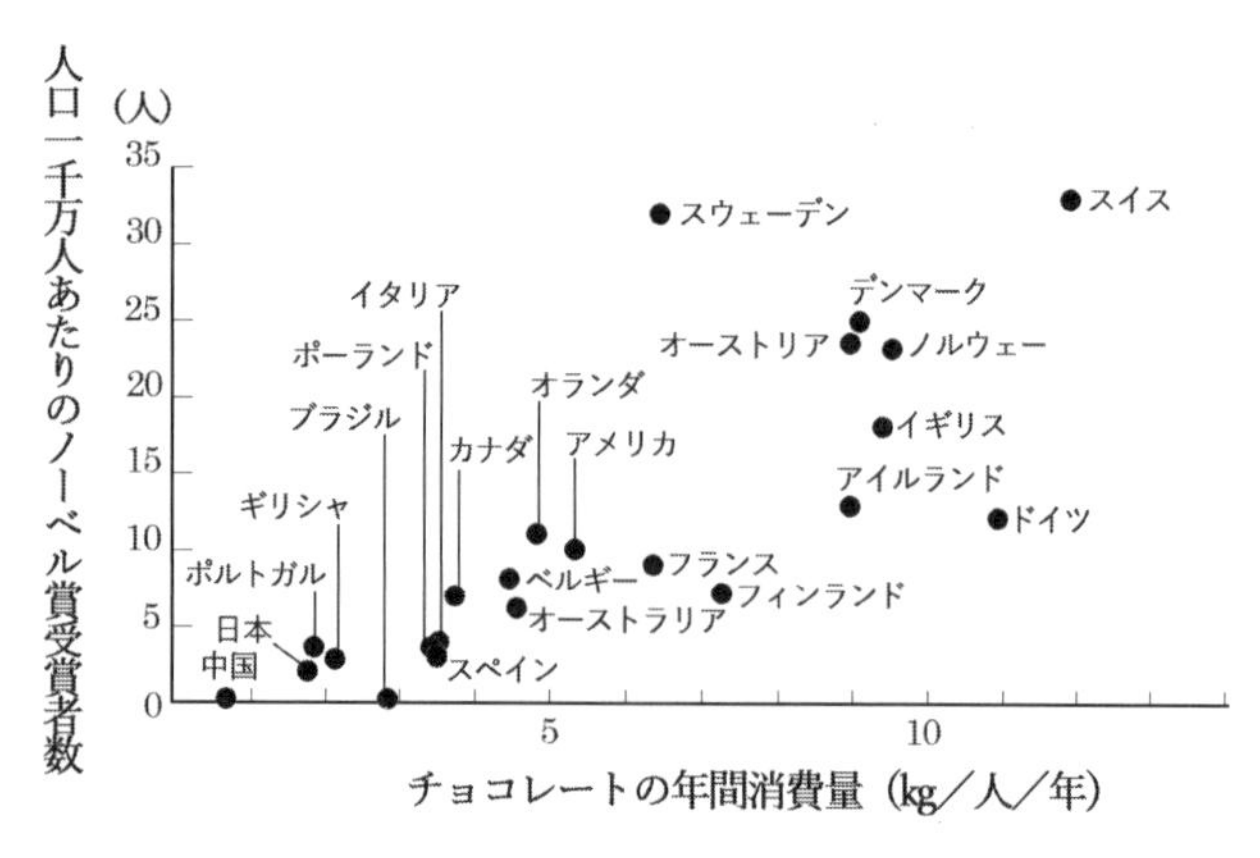

【図２－１　チョコレート消費量とノーベル賞受賞者数】

（『データサイエンス入門』竹村彰通、岩波新書より）

ある研究（Messerli, 2012）によれば、国民一人当たりの、チョコレート消費量とノーベル賞獲得数には、強い相関があると言う【図２－１】。つまり、チョコレートをたくさん食べる国ほど、ノーベル賞をたくさん獲る傾向があるというわけだ。この研究結果について、どう考えればよいだろうか。

Ａさんは、こう考えた。「チョコレートには脳を活性化する効果がある。そのため、チョコレートをたくさん食べると、ノーベル賞がたくさん獲れるのだろう。」

一方、Ｂさんは、こう考えた。「おそらく、経済的に豊かな国は、チョコレートのような嗜好品を食べる余裕があるし、研究費もたくさんあるのでノーベル賞を獲れるような成果も出やすい。だから、チョコレート消費量が多い国でノーベル賞獲得数が多い傾向があったとしても、チョコレートを食べたことが原因でノーベル賞が獲れたわけではないだろう。」

さて、AさんとBさんが、自分の考えを書いた文章を読んでみよう。

［Aさんが書いた文章］

スイス人はチョコレートをたくさん食べる。だから、スイス人はノーベル賞をたくさん獲る。チョコレートには、脳を活性化する働きがあるからだ。

［Bさんが書いた文章］

スイス人はチョコレートをたくさん食べる。また、スイス人はノーベル賞をたくさん獲る。この2つの現象は両方とも、スイスが経済的に豊かなことが原因である。

2人が書いた文章を読むと、最初の2つの文は、ほとんど同じである。違うのは、接続表現だけだ。Aさんは、最初の文（チョコレート）が2番目の文（ノーベル賞）の原因になっていると考えているので、順接の「だから」でつなげている。一方、Bさんは、最初の文（チョコレート）も2番目の文（ノーベル賞）も、経済的に豊かなことの結果だと考えているので、付加の

「また」でつなげて、並列の関係にしている。

2人の接続表現の使い方に、とくに問題はない。2人の接続表現は違うけれど、それは2人の考えの違いを反映しているためであって、どちらの使い方も適切だ。

ただ、一つだけ注意すべき点がある。科学は、因果関係を明らかにすることが苦手である。因果関係をきちんと示した研究は、(もちろんあるけれど)非常に少ない。そのため、科学では、相関関係を明らかにしただけで、因果関係があるだろうと結論することがよくある。もちろん、それだけでは結論に説得力がない。そこで、複数の相関関係を示したり、思考実験で因果関係があることを推測したりして、結論の説得力を高めようとすることが普通である。しかし、たとえそういう努力をしても、相関関係だけで因果関係を主張していることに、変わりはない。

しかし、これは、ある程度はしかたのないことである。第5章で詳しく述べるけれど、そもそも科学の結果には、100パーセント正しいものはないのだ。科学に関する文章を書くということは、それをわかったうえで書くということだ。ところが、なぜか人間というものは、物事を100パーセント正しいか、あるいは100パーセント間違っているか、どちらかに決めたがる。そのため相関関係があると、つい100パーセント因果関係もあると思い込みやすい。そこで、相関関係と因果関係がでてくる文章を書くときには(おそらく、そういうことは頻繁にある)、果たしてそれを因果関係と考えてよいかどうかを、自己責任で検討しなくてはいけない。文章の最終的な責任は、つねに文章を書いた人にある。だから、自分の判断で、順接と付加の接続表現を選びながら、書いていかなくてはならないのである。

ちなみに、2つの出来事のあいだに相関関係があるときに、考えられる可能性は4つある。1つ目は、一方が他方の原因となっている場合だ。これは前記のAさんの考えに当たる。2つ目は、両者が共通の原因を持つ場合だ。これは前記のBさんの考えに当たる。3つ目は、両者の間には何の関係もなく、たまたま相関関係が現れてしまった場合だ。そして4つ目は、不適切な方法のために、必然的に相関関係が現れてしまった場合だ。

4つ目の例としては、戸田山和久氏が『「科学的思考」のレッスン』（NHK出版新書）の中で興味深い例を紹介しているので、本書でも紹介しておこう。

ある大学で、2つの入学試験、つまりセンター試験（全国共通の一次試験）と二次試験（大学ごとに行う試験）の成績の関係を調査したときのことだ。入学してきた学生の中から被験者をランダムに選び、センター試験と二次試験の成績を調べて、データとした。大学側の予想は、センター試験で良い点数を取った学生は、二次試験でも良い点数を取る傾向がある、ということだった。ところが、予想に反して、センター試験と二次試験の点数は、負の相関を示してしまった。つまり、センター試験の点数が高い学生は、二次試験の点数が低い傾向があり、反対にセンター試験の点数が低い学生は、二次試験の点数が高い傾向があったのである。これは不思議な話で、

入学者におけるセンター試験と二次試験の点数分布

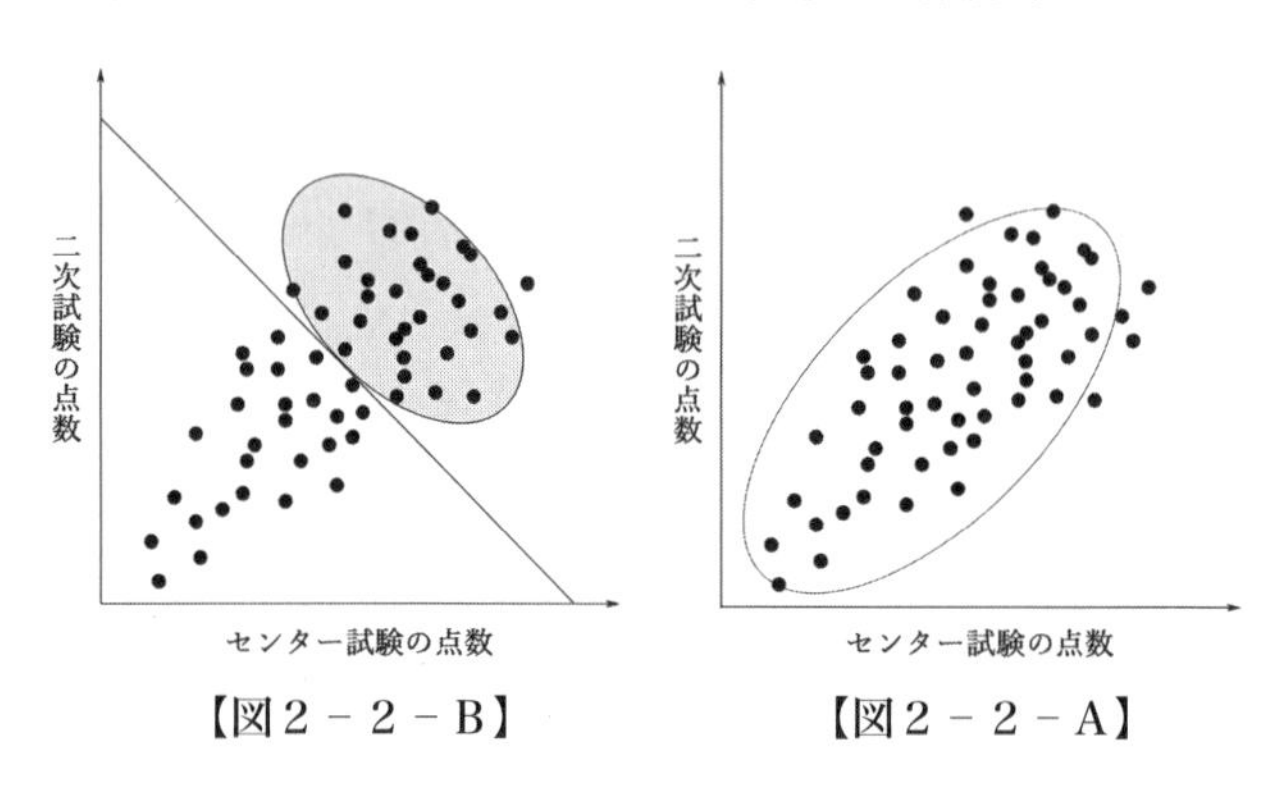

【図２－２－B】　【図２－２－A】

大学でもこの理由について議論になったそうである。

しかし、よく考えてみると、これはデータの選び方が間違っていたのである。データを取る人を、入学者の中から選んだのが失敗だった。受験者の中からランダムに選ばなければいけなかったのである。

おそらく受験者の点数の分布は、【図２－２－A】のような楕円形になっていた可能性が高い。これなら、センター試験と二次試験の点数は、正の相関を示す。つまり、センター試験の点数が高い学生は、二次試験の点数も高い傾向があり、とくに不自然な点はない。しかし、入学者だけからデータを取ると、おかしなことになる。

入学試験の合格者がどうやって決まるかというと、センター試験と二次試験の点数を足して、それがある点数より高ければ合格になる。したがって、合格して入学してきた学生の点数の分布は、【図２－２－B】

で網を掛けたような形になる。この場合、合格ラインぎりぎりで受かった人が多いと、センター試験と二次試験の点数は、負の相関を示しやすいのである。

大学の合否が、センター試験と二次試験の合計点で決まるとしよう。その場合、ギリギリで合格した人の点数を調べると、センター試験の点数が低いほど二次試験の点数が高くて、センター試験の点数が高いほど二次試験の点数が低いはずだ。そのため、センター試験と二次試験の点数は、負の相関を示してしまう。したがって、合格者全体の中で、合格ラインに近い点数を取った人が多いと、合格者全体も負の相関を示してしまうことがあるのだ。

もちろん入学者からデータを取れば、必ず負の相関が現れるわけではない。しかし、偶然以上の確率で（つまり、ある程度は必然的に）、負の相関が現れることは確かである。

科学ライティングにおいても、統計的な研究を書くときには、データの選び方が適切かどうかをチェックしなければならない。たとえ自分が行った研究でなくとも、自分が書いた文章の内容には、自分が責任を持たなければならないからだ。

さて、付加の接続表現の中で、2番目に注意すべきものは「しかも」だ。

［問題2－3］　次の文章の（　）の中から適切な接続表現を選べ。

（1）新幹線は速い。（そして／しかも／しかし）安全だ。だから、私はいつも新幹線を利用している。

（2）かつての高速鉄道は、安全性に不安があった。そういう状況のなかで登場したのが、日本の新幹線である。新幹線は速い。（そして／しかも／しかし）安全だ。そこが、これまでの高速鉄道との違いである。

まず、（1）から検討しよう。選択肢の「そして」と「しかも」は付加の接続表現で、「しかし」は逆接（主張の向きが逆の文をつなげる）の接続表現だ。この文章では、新幹線を利用する理由として、「速い」ことと「安全」なことの両方が挙げられている。つまり、

速い　＋　安全　↓　新幹線を利用

という形になっているので、「速い」と「安全」を付加の接続表現でつなぐのが適切だ。「そして」は付加の接続表現なので、「そして」でつないでも問題はないのだが、もう少し検討してみよう。

「しかも」も付加の接続表現だ。「A。しかもB」と書かれていれば、主張Bは主張Aにただ付け加えられているだけではない。BはAと主張の向きが同じで、Aを強める働きがある。読者は「しかも」という接続表現を見れば、それに続く主張BがAと同じ向きの主張だと、予測しながら読むことができる。このように文章の先を予測しながら読めば、論理を取り違えることはないだろう。

「しかも」と似た接続表現としては、「さらに」もある。同じ向きの主張をつなぐときには、「しかも」や「さらに」を積極的に使うとよい。そうすると、「速いから、新幹線を利用する。安全だから、ますます新幹線を利用する」という感じになるわけだ。

次は（2）だ。もしも、最後の文「そこが、これまでの高速鉄道との違いである。」がなければ、3つの選択肢のどれでも正解だ。しかし、最後の文があるために、正解は1つに決まる。

従来の高速鉄道と新幹線の「違い」は、「安全」かどうかであって、「速い」かどうかではない。したがって、最後の文「そこが、これまでの高速鉄道との違いである。」の文頭の「そこ」は、「安全」なことを指している。しかし、前の文で、選択肢の中から「そして」や「しかも」を選ぶと、つまり「速い」と「安全」を付加の接続表現でつなぐと、最後の文で、両方とも「違い」に含まれるように読めてしまう。そこで、「速い」と「安全」は同じ向きの主張ではなく、「違い」に含まれるのは「安全」だけだと明確にするために、逆接の接続表現「しかし」でつなぐのが適切である。

［問題2-3の解答］

（1）しかも　（2）しかし

付加の接続表現の最後に、「むしろ」を検討しよう。「むしろ」には、他の「付加」の接続表現とは違う、変わった特徴が2つある。1つは、否定文に肯定文をつなげることだ。つまり、「AはBでない。むしろCだ。」という形になる。もう1つは、AとCが完全には一致しない場合に使うことだ。とりあえず、問題をやってみよう。

［問題2-4］　次の文章の（　）の中から適切な接続表現を選べ。「だから」も「むしろ」も入らないときは「—」を選択せよ。

（1）すべての生物は原核生物と真核生物に分けられる。ヒトは原核生物ではない。（だから／むしろ／—）ヒトは真核生物だ。

（2）犬は鳥ではない。（だから／むしろ／—）哺乳類だ。

（3）ウイルスは生物ではない。（だから／むしろ／—）無生物だ。

（4）ウイルスは無生物だ。（だから／むしろ／—）生物ではない。

それでは、（1）を見てみよう。すべての生物は、原核生物か真核生物のどちらかなので、ヒトが原核生物でなければ、真核生物であることが結論される。したがって、順接の「だから」を使うことができる。さて、「むしろ」はどうだろう。ヒトは完全に真核生物である。「むしろ」を使うと、ヒトは真核生物に近いけれど、完全に真核生物ではない、という意味になる。したがって、「むしろ」は使えない。

次は（2）だ。たしかに、犬は鳥ではない。しかし、鳥でなければ哺乳類である、とは結論できない。両生類かもしれないし、魚類かもしれないからだ。したがって、「だから」は使えない。一方、「むしろ」は、いくつかの中から1つを選ぶときにも使えるので、そこは問題ない。しかし、犬は完全に哺乳類なので、「むしろ」も使えない。

（3）は問題文に書かれていない暗黙の前提によって、答えが分かれる。もし、この世界の森羅万象が、生物と無生物にきっちり分けられて、中間はないとしよう。その場合は、もしウイルスが生物でなければ、無生物と結論できるので、「だから」が適切だ。一方、ウイルスは、生物と無生物の中間的な存在であるという考えもある。もし、生物と無生物の中間を認めるならば、ウイルスは無生物に近いが完全には無生物ではないと、解釈できる。その場合は「むしろ」が適切である。

最後は（4）だ。「だから」は、（3）と同じ理由で使える。しかし、「むしろ」は、（3）と違って使えない。なぜなら、（4）は、肯定文に否定文がつながっているからだ。「むしろ」は、否定文に肯定文をつなげるときに使う接続表現である。

［問題2－4の解答］

（1）だから　（2）―　（3）だから、むしろ　（4）だから

2・9　接続表現❷　～逆接、補足、対比～

逆接と補足は、逆向きの主張をつなげる接続関係である。つなげられた2つの主張のうち、後ろの主張に重みがある接続関係を逆接、前の主張に重みがある接続関係を補足という。

対比は、複数の主張を同じ重みでつなげる接続関係である。つなげられた2つの主張は、逆向きでも逆向きでなくてもよい。

（1）**逆接**：後ろの主張に重みがある（しかし、だが、～が、等）。

（2）**補足**：前の主張に重みがある（ただし、もっとも、等）。
（3）**対比**：複数のことがらを対等に並べる（一方、また、しかし、だが、～が、等）。

逆接の接続表現の多くは、対比の接続表現としても使える（対比の意味で使っている場合は、「一方」で置き換えられる）。一応、以下に例を示すけれど、「～が」以外は、あまり気にしなくてよい。「～が」以外の逆接や対比の接続表現について、使い方を間違える人は、ほとんどいないからだ。


（逆接）

約700万年前の人類も直立二足歩行をしていた。しかし、歩くのは私たちより下手だった。

約700万年前の人類も直立二足歩行をしていたが、歩くのは私たちより下手だった。


（対比）

ヒトには土踏まずがある。しかし、チンパンジーにはない。

ヒトには土踏まずがあるが、チンパンジーにはない。

さて、注意しなければならない接続表現は「〜が」だ。「〜が」は逆接や対比の他に、補足や付加の接続表現としても使われる（補足の場合は「ただし」で、付加の場合は「そして」で置き換えられる）。

（補足）
地球の生命は火星で生まれた可能性があるが、それを示す直接的な証拠はない。

（付加）
ヒトの成人には約200個の骨があるが、そのなかで一番大きい骨は太ももにある大腿骨（だいたいこつ）である。

接続表現を使うメリットの一つは、次の文章を読む前に、その文章の主張の向きが予測できることだった。しかし、1つの接続表現が2つの意味をもっていれば、次の文章の主張の向きには2通りの可能性がある。だから、実際に次の文章を読むまでは、主張の向きがわからない。つまり、主張の向きが予測しづらくなる。接続表現のもつ意味が3つになれば、さらに予測しづらくなる。1つの接続表現がもつ意味の数が増えれば増えるほど、その接続表現がもつ予測力は低くなるわけだ。その典型が、「〜が」である。

「〜が」にはいくつかの意味があるが、もっともよく使われる意味は逆接である。したがって、文章の中に「〜が」があると、読者はまず逆接だろうと予測する。実際に逆接の場合はそのまま読んでいけばよいが、逆接でない場合は予測を修正しながら読んでいかなくてはならない。これは、読者にとって煩わしいことだ。そのため、逆接以外の「〜が」は省略するか、別の接続表現を使った方がよい。とくに付加は、もっとも弱い接続表現なので、省略できることが多い。

とはいえ、逆接以外の「〜が」を絶対に使ってはいけない、というわけではない。たとえば、付加の「〜が」を使うのが適切な場合もある。

　ヒトの成人には約200個の骨があるが、そのなかで一番大きい骨は太ももにある大腿骨である。

この文章の「〜が」は省略できるし、「そして」に置き換えることもできる。しかし、前後に文があるときは、状況が変わってくる。もしも、直前の文で、「そして」が使われていたら、この文でまた「そして」を使うのは不自然だろう。さらに、直前に、いくつか短い文が続いていたら、この文は少し長めにした方が読みやすいかもしれない。そういうときには、右の例文のように、「〜が」を使うのが一番読みやすいだろう。

たしかに、論理は語調より大切だ。つまり、論理は読みやすさに優先する。しかし、論理が壊れない範囲の中なら、読みやすさを追求すべきだろう。

日本語にはさまざまな表現があり、文脈に応じて、そのすべてを使ってよい。そして、できるかぎりよい文章を作るべきだ。「〜のような表現は使わない方がよい」という意見をしばしば耳にするが、あまり気にする必要はない。使えるものは、なんでも使った方がよい。重要なのは、その使い方だ。

次に、注意しなくてはならないのは、逆接と補足の混同である。逆接も補足も、ともに逆向きの主張をつなげる接続表現だ。だから、逆接と補足を入れ替えても、どの主張に重みがあるかが変わるだけで、論理の骨組みは変わらない。そのため、ぼんやりしていると、つい間違えてしまう。しかし、どの文が重要なのかがわからないと、文章はとても読みにくくなる。それでは問題をやってみよう。

［問題2－5］ 次の文章の（　）の中から適切な接続表現を選べ。

ゴリラは狂暴な動物というイメージがある。（a）（しかし／ただし）、実際のゴリラは比較的平和な動物である。（b）（しかし／ただし）、群れのボスの座をめぐって闘ったり、群れに新しくきたメスの子を殺したりすることはある。

この文章で言いたいことは、ゴリラが平和な動物だということだ。そこで、（a）には、後ろの主張に重みが置かれる「しかし」が入る。一方、ゴリラ同士の闘いや子殺しは、例外的なこととして重みが置かれていない。そこで（b）には、後ろの主張が軽くなる「ただし」が入る。

［問題2－5　解答］

（a）しかし（b）ただし

2・10　接続表現❸　～換言、例示～

それでは次に、換言と例示を検討しよう。換言と例示は、ある主張をわかりやすく説明し直すときの接続表現である。

（1）**換言**：前の主張と同じ内容を別の言い方で表す（すなわち、つまり、等）。
（2）**例示**：前の主張の例を挙げる（たとえば、等）。

とりあえず、問題をやってみよう。

［問題2-6］ 次の文章の（ ）の中から適切な接続表現を選べ。

進化論で有名なダーウィンも、若いころは「生物は、神によって創られたもので、進化しない」と考えていた。しかし、晩年にはキリスト教への信仰を失い、「生物は、神によって創られたものではなく、進化する」と考えるようになった。有名な『種の起源』は、その中間の時期に書かれたものである。（a）（すなわち／だから）、「生物は神によって創られたもので、進化する」という中間的な内容になっている。あまり知られていないことだが、『種の起源』には、神が生物を創ったと書かれているのだ。（b）（すなわち／だから）、『種の起源』は、科学書というよりは神学書なのである。

ダーウィンといえば、進化論を主張したために、キリスト教会から激しく批判されたイメージがある。しかし、必ずしも、すべてのキリスト教徒から批判されたわけではない。『種の起源』

は、少なくとも形の上では、神学書として書かれている。そのため、イングランド教会のチャールズ・キングズリーやハーバード大学のエイサ・グレイなどの高名なキリスト教徒は、『種の起源』を神学書として賞賛した。『種の起源』を建て前通りに神学書として読み、高く評価したキリスト教徒もいたのである。

さて、問題2-6の（a）を見てみよう。ダーウィンの考えを整理するために、記号を使うことにする。「生物は神によって創られた」ことを「神○」、「生物は神によって創られなかった」ことを「神×」と表す。また、「生物は進化する」ことを「進化○」、「生物は進化しない」ことは「進化×」と表す。そうすると、ダーウィンの考えは以下のように表せる。

若いとき　神○　進化×
『種の起源』　神○　進化○
晩年　神×　進化○

たしかに『種の起源』の内容は、若いときと晩年の中間的である。このように中間的な内容になっている理由として、若い時と晩年の中間の時期に書かれたことが問題文で述べられている。つまり（a）の前が根拠で（a）の後が結果になっている。したがって、（a）は順接の接続表現「だから」がよいだろう。

ちなみに、「時期が中間であること」と「内容が中間的であること」は別のことである。したがって、同じ内容を別の表現で言い換える換言の「すなわち」は使えない。

次に（b）を考えてみよう。（b）の前では、「『種の起源』には、神が生物を創ったと書かれている」ことが述べられ、（b）の後では、「『種の起源』は神学書である」ことが述べられている。「神が生物を創ったと書かれている」本は神学書なので、（b）の後は（b）の前と同じ内容を、別の言い方で表したものと考えられる。そこで、（b）には換言の接続表現である「すなわち」が適切である。

［問題2－6の解答］

（a）だから （b）すなわち

ただし、（b）には、「だから」も入らないことはない。なぜなら、すぐ後で説明するように、換言の接続表現（すなわち、等）は、常に順接の接続表現（だから、等）に置き換えられるからだ。

とはいえ、「すなわち」と「だから」の両方が使える場合は、「すなわち」を使った方がよい。

接続表現の役割の一つは、後の文の論理を予想させて、文章を読みやすくすることであった。「すなわち」を「だから」で置き換えられるということは、「すなわち」よりも「だから」の方が意味が広い、つまり予想される論理の範囲が広いということだ。しかし、予想される論理の範囲が狭い方が、文章を読んでいるときに、論理を取り違える可能性は少なくなる。そのため、問題2－6の（b）では、「すなわち」を正解とした。

換言や例示は順接に書き換えられる

次のように、根拠が正しければ結論も必ず正しい推論を、演繹（えんえき）という。

［**推論2－1**］
根拠：クジラは海に棲んでいる。
根拠：マッコウクジラはクジラだ。
結論：マッコウクジラは海に棲んでいる。

演繹における根拠と結論は、順接の接続表現（だから、等）でつなぐことができる。

［推論2－1を順接でつないだもの］

クジラは海に棲んでいる。マッコウクジラはクジラだ。だから、マッコウクジラは海に棲んでいる。

ここで、換言と例示の接続表現（すなわち、たとえば、等）を考えてみよう。まず、換言の場合、後の主張は、前の主張と同じ内容を別の言い方で表したものだった。たとえば、こんな感じだ。

［例文2－4］

タコの肢は7本より多く、9本より少ない。すなわち、タコの足は8本だ。

前の主張と後の主張が同じ内容であれば、当たり前だが、前の主張が正しければ後の主張も必ず正しい。つまり、例文2－4は、前の主張を根拠、後の主張を結論、と考えれば、演繹と解釈できる。したがって、順接の接続表現（だから、等）で結ぶこともできる。

［例文2－4を演繹と考えた文章］

タコの肢は7本より多く、9本より少ない。だから、タコの足は8本だ。

つまり、換言の接続表現は、常に順接の接続表現に置き換えることができるのだ。

次は例示だ。例示の場合、後の主張は、前の主張の例を挙げたものだった。たとえば、こんな感じだ。

［例文2－5］

2本鎖DNAの塩基配列は相補的になっている。たとえば、一方の塩基配列がAGCであれば、もう一方はTCGになっている。

後の主張が前の主張の例になっていれば、当たり前だが、前の主張が正しければ後の主張も必ず正しい。つまり、例文2－5は、前の主張を根拠、後の主張を結論、と考えれば、演繹と解釈できる。したがって、順接の接続表現（だから、等）で結ぶこともできる。

［例文2－5を演繹と考えた文章］

2本鎖DNAの塩基配列は相補的になっている。だから、一方の塩基配列がAGCであれば、もう一方はＴＣＧになっている。

つまり、換言だけでなく例示の接続表現も、常に順接の接続表現に置き換えることができるのだ。

例示と順接の使い分け

では、換言や例示と順接は、どう使い分ければよいのだろうか。問題をやってみよう。

［問題２－７］ 次の文章中で、不適切な接続表現を指摘し、適切な接続表現に直せ。

２００７年11月21日に、朝日新聞、読売新聞、毎日新聞、日本経済新聞などの各紙は一斉に、「人の皮膚から万能細胞」という見出しの記事を、朝刊に載せた。この「万能細胞」はｉＰＳ細胞のことを指しているが、新聞の見出しは不適切であった。ｉＰＳ細胞は「万能細胞」ではなく「多能性細胞」だからだ。

万能細胞は、胎盤と胎児の両方を作れる細胞で、子宮に移植すれば、完全な胎児が生まれる。しかし、多能性細胞は、体を作るすべての細胞にはなれるが、胎盤の細胞にはなれない。そのため、子宮に移植しても、胎児は生まれない。たとえば、ドリーというヒツジを生んだクローン胚は万能細胞だが、胎児にはなれないiPS細胞は多能性細胞である。

最後から2行目の「たとえば」は例示の接続表現なので、「したがって」などの順接の接続表現に置き換えることができる。ここでは、どちらがよいだろうか。

問題文は2つの段落からできている。もし最初の段落がなくて、2番目の段落だけを読んだのなら、「たとえば」でも「したがって」でも、どちらでもよいだろう。しかし、この問題文には最初の段落があるので、そうはいかない。

最初の段落では、iPS細胞が多能性細胞であって万能細胞ではないことが述べられている。しかし、その理由は説明されていない。当然、読者は2番目の段落に、その理由を期待するだろう。そして、期待通りに2番目の段落では、多能性細胞と万能細胞の違いが説明され、iPS細胞が多能性細胞である理由が述べられる。つまり最後の一文は、単なる1つの例ではなく、この文章全体の結論だ。そのため、ここでは「したがって」が適切である。

この問題は、わりと簡単だったかもしれない。しかし、実際の文章には、このような間違いがかなり頻繁に見られる。それは、読むよりも書く方が、時間がかかるからだ。

書くのに比べれば、読むのは速いので、最初の段落でiPS細胞が問題になっていることを忘れる前に、第2段落を読み終えることができる。だから、第2段落の最後で、「あれ、『たとえば』では違和感があるな」と感じることができるのだ。

一方、書くのは時間がかかるので、第2段落を書き終わるころには、最初の段落のことなど忘れている。それで、つい「たとえば」とか書いてしまうのだ。

こういう間違いは、自分の書いた文章を読み直すことによって、修正することができる。著者が書くのは遅い。読者が読むのは速い。でも、自分が書いた文章を読み直せば、読者と同じスピードで文章をチェックできるのである。

[問題2－7の解答]

最後から2行目の「たとえば」→「したがって」など

2・11　接続表現❹　～接続表現を使わなくてよい場合～

接続表現の話の最後に、接続表現を使わなくてもよい場合を考えよう。まず、接続表現のおもな役割を再確認する。

（1）文と文のつなぎ方を示すことによって、論理を示すこと。

（２）後の文の論理を予想させて、文章を読みやすくすること。

論理的に書かれた文章なら、その中に無関係な文は１つもないはずである。文と文は、必ず何らかのつながり方をしており、そのつながり方を示す接続表現を書き入れることができるはずだ。

しかし、文と文のつながり方の強さは一定ではない。つながり方が弱い場合は、接続表現を省略できる。また、次の文の主張が、前の文から自然に予想できるときも、接続表現を省略できる。

次の文章を読んでみよう。

（１）努力しても、成功するとはかぎらない。成功した人は、みんな努力している。

（２）努力しても、成功するとはかぎらない。しかし、成功した人は、みんな努力している。

（１）は、読みにくい。それは、後ろの文の主張が、前の文とは一見逆向きなのに、それを示す接続表現がないからだ。そのため、前の文を読んだだけでは、後ろの文の主張が予想できない。こういう場合は、逆接の接続表現「しかし」がある（２）の方が読みやすい。ちなみに（２）

は、ベートーベンの言葉である。

（3）努力しても、成功するとはかぎらない。成功するには、運も必要だからだ。

（4）努力しても、成功するとはかぎらない。なぜなら、成功するには、運も必要だからだ。

（3）は、とくに読みにくくはない。素直に考えれば、努力しないより努力する方が成功しやすいはずだ。そのため、前の文で「努力しても、成功するとはかぎらない」と言われれば、「なぜだろう?」と、その根拠を考えることは自然だろう。しかも、後ろの文の文末が「〜だからだ」になっていて、後ろの文が前の文の根拠であったことも確認できる。そのため、（3）は接続表現がなくても、読みやすいのである。

とはいえ、（4）のように、後ろの文の先頭に根拠の接続表現「なぜなら」があれば、後ろの文が前の文の根拠になっていることが、自信を持って予想できる。だから、接続表現があっても悪くない。つまり、（3）と（4）の場合は、接続表現があってもなくても、読みやすさはあまり変わらない。

（5）努力しても、成功するとはかぎらない。親切にしても、好かれるとはかぎらない。

（6）努力しても、成功するとはかぎらない。また、親切にしても、好かれるとはかぎらない。

（5）では、同じ形の2つの文が、対等に並んでいる。そこで、その2つの文を、付加の「また」でつなげたものが（6）である。

ただし、付加はもっとも弱い接続表現であり、前後の文のつながり方が弱いことを示している。しかも、後ろの文は前の文より重みがあるとか、後ろの文は前の文の例になっているとか、そういう予想に必要な情報も、付加の接続表現にはあまりない。そのため、省略した方が読みやすい場合もある。

極端な例は、次のような文章だ。

「僕は朝七時に起きました。それから、外へ出てみると、よく晴れていました。そして、南の丘に生えた松が、青空を背景にきれいに見えました。」

この文章の中の2つの付加の接続表現（傍線）は、省略した方が読みやすい。同じ理由で、（6）の付加の「また」も、ない方が読みやすいだろう。

このように、接続表現は、ある方がよい場合と、ない方がよい場合がある。困るのは、あってもなくてもよい場合だが、そういう場合は接続表現をつけなくてよい。接続表現が少ない方が、文章は読みやすいからだ。

試験を受けるために、教科書を読んでいる学生がいるとしよう。その学生は、教科書の大事なところに赤線を引きながら、勉強をしている。熱心な学生は、何度も何度も教科書を読み、その度に赤線を引き続けた。そしてついに、すべての文章に赤線が引かれ、教科書は真っ赤になってしまった。

こういう学生はもしかしたら立派な人かもしれないが、ここでは赤線のことだけを考えよう。赤線は、教科書の一部に引いてあるから意味がある。たとえば、赤線が引いてないところは飛ばして、引いてあるところだけをチェックして、勉強することができるからだ。すべての文章に赤線を引いたら、それは赤線を引いていないのと同じことである。これでは、どこが大事かわからない。

接続表現も、赤線と似たようなものである。なくてはならない接続表現も、なくてもよい接続表現も、とにかく何でもかんでも接続表現をつけたら、どれが大事な接続表現なのかよくわからない。そうなれば、論理の展開もわかりにくくなる。

接続表現は少なめにして、しかし大事なところには、きちんと入れる。そして、前後の文をしっかりつなげる。それが、論理展開を明確にするコツである。

【表２－１　おもな接続表現】

１）	付加	主張と主張をつなげる（前の主張に後ろの主張を付け加える）。 そして、また、しかも、さらに、むしろ
２）	順接	根拠の主張に結果の主張をつなげる。 だから、したがって、～ので、～から
３）	逆接	逆向きの主張をつなげる。後ろの主張に重みがある。 だが、しかし、～が
４）	補足	逆向きの主張をつなげる。前の主張に重みがある。 ただし、なお、もっとも、ちなみに、そもそも
５）	対比	主張と主張を対等につなげる（前後の主張を入れ替えられる）。 一方、他方、反対に、逆に、また、だが、しかし、～が
６）	換言	主張と、それと同じ内容で別の言い方の主張をつなげる。 すなわち、つまり（順接でも使う）
７）	例示	主張とその例をつなげる。 たとえば、いわば
８）	選択	前後の主張のどちらかを選ぶ。 それとも、あるいは、または
９）	根拠	結果の主張に根拠の主張をつなげる（順接の逆）。 なぜなら
10）	転換	主張と、それと話題の変わった主張をつなげる。 さて、ところで

※網掛けは、本書で解説した注意すべき接続表現。

第3章　わかりやすい文章

3・1 わかりやすい文章は最高の文章ではない

私は6年ほど茨城県に住んでいた。そして、毎日のように筑波山を見ながら、起伏のない平らな道を歩いていた。

筑波山は標高877メートルで、天気がよければ日帰り登山に手頃な山である。もちろん歩いて登ることもできるが、ケーブルカーやロープウェイに乗れば、かなり楽に山頂まで行くことができる。

さて、茨城県には、筑波山が好きで、何度も筑波山に登っている人がいる。そういう人は、ケーブルカーやロープウェイは使わない。自分の足で登るのだ。ケーブルカーやロープウェイを使った方が、ずっと楽だし速いのに、どうしてわざわざ自分の足で登るのだろう？

おそらく、その答えは1つでなく、人それぞれだろう。しかし、たしかに言えることがある。それは、ケーブルカーやロープウェイを使うと得られないものが、自分の足で登れば得られるということだ。逆に言えば、ケーブルカーやロープウェイを使うと失われるものがある、ということだ。

わかりやすい文章とは、ケーブルカーやロープウェイを使った登山のようなものだ。だから、わかりやすい文章は、最高の文章ではない。文章をわかりやすくすると、失われるものがある。たとえば、大江健三郎の文章をわかりやすい文章にすれば、あのカッコよさは消えてしまうに違いない。しかし、ここでは、カッコよさは求めないことにしよう。

では、論理的な文章をわかりやすくすると、失われるものとは何だろうか。それは、正確さである。科学に関する本のまえがきには、「正確さを失わない範囲で、できるだけわかりやすく書いた」みたいなことが、しばしば書かれている。「正確さ」と「わかりやすさ」は相反する概念なのだ。

では、どうしたらよいのだろう。私たちは、論理的な文章をわかりやすく書くことを、諦めなくてはならないのだろうか。もちろん、そんなことはない。正確さを失わない範囲で、少しでもわかりやすく書く努力は続けなくてはいけない。

それでは、この章では、どんな文章にもたいてい当てはまる、一般的なわかりやすさを検討してみよう。

3・2 文は短く

文は短い方が読みやすいと、よく言われる。基本的には、その通りだと私も思う。しかし、長くても読みやすい文もある。

たとえば、以下の例文3－1と例文3－2は、ともに長文である。とくに例文3－1は231字からなる極端な長文だ。それなのに、例文3－1は読みやすい。一方、例文3－2は101字なので、例文3－1よりはずっと短い。それなのに、とても読みにくい。なぜだろうか。

［例文3－1］

文を短くした方がわかりやすいとよく言われるが、文というものは前から順に読んでいって意味がわかるのであれば、つまり、前に戻って読み返さなくても意味がわかるのであれば、長くても構わないわけで、たとえば、樋口一葉の「たけくらべ」の文は長いことで有名で、最初の一文は1000字をはるかに超える長文だが、文体は簡潔で読みやすく、日本文学史上の名文と言われているくらいだが、それにもかかわらず、多くの人が短い文がよいと言っているのは事実なので、そこには何か理由があるはずだ。

［例文3－2］
野営していたアメリカの3人の猟師が、後に強力な毒を持っていることが明らかになったサメハダイモリがゆで上がって入っていたコーヒーポットとともに、争った跡や外傷のない遺体で、1960年代の初めに発見された。

例文3－1は231字の長文だが、前から順に読んでいけば意味がわかるし、それほど読みにくくはない。時間の経過通りに書かれた文章や、論理の展開通りに書かれた文章は、長くても読みやすい。時間や論理が一直線に進んでいくなら、あまり短文にこだわる必要はないだろう。
とはいえ、多くの文章では、時間や論理が一直線に進んでいくわけではない。そういう場合は、文を短くした方がわかりやすい。文を短くするとわかりやすくなる理由は、おもに次の3つである。

（1）1つの文で1つの主張ができる。
1つの文が複数の主張を含むよりも、1つの主張しか含まない方が、主張が把握しやすい。もちろん、文章の中に、複数の主張を含む長い文が、少し混ざっているぐらいは構わない。しかし、1つの主張しか含まない文が多い方が、文章はわかりやすくなる。

（2）句点と読点を多用できる。

例文3－1の231字の中で、句点（。）は最後の1つだけである。文の途中に入れられるのは読点（、）だけなので、文が長いと、【図3－1】のように、全体を同じレベルのかたまりにしか分けられない。しかし、文を短くすれば、読点だけでなく句点も入れられるので、【図3－2】のように、全体を2つのレベルのかたまりに分けられる。

文や文章は、さまざまなレベルの意味のまとまりを含んでいる。その意味のまとまりに、文の形を対応させて、わかりやすくするためには、短い文の方が便利なのである。

【図3－1】

□、□、□、□、□、□、□。

【図3－2】

□、□。□、□、□。□、□。

(3) 覚えることが減る。

文章を読むときには、2つのことを記憶しなくてはならない。1つは、読んでいる文の構造で、もう1つは読み終わった文の内容だ。文が長くても短くても、読み終わった文の内容を記憶しながら（まあ、結構忘れるけれど）、その先の文を読んでいくことに変わりはない。しかし、読んでいる文の構造を、がんばって記憶しなければならないのは、文が長い場合だけである。読みにくかった例文3－2を再掲しよう。

［例文3－2］

野営していたアメリカの3人の猟師が、後に強力な毒を持っていることが明らかになったサメハダイモリがゆで上がって入っていたコーヒーポットとともに、争った跡や外傷のない遺体で、1960年代の初めに発見された。

この文では、対応する主語と述語は「猟師が」と「発見された」である。だから、文の最後の「発見された」を読むまで、「猟師が」が主語であることを覚えていなければならない。また、文の初めの方に「強力な毒」と書いてある。最後まで読めば、この「強力な毒」が猟師の死と関係しているらしいとわかるけれど、それまでは何だかよくわからないまま、「強力な毒」を覚えていなければならない。
　こういう長い文は、記憶に負担がかかるので、読んでいてとても疲れる。もしも忘れたら、前に戻って読み直さなくてはならないので、面倒でもある。しかし、文を短くすれば、こういう苦労から解放されるのだ。例文3－3は、例文3－2を4つの短い文に分けて改善したものである。

［例文3－3］
　1960年代の初めに、野営していたアメリカの3人の猟師が、遺体で発見された。遺体には争った跡や外傷はなかった。ただ、コーヒーポットの中に、ゆで上がったサメハダイモリが入っていた。その後、サメハダイモリが強力な毒を持っていることが明らかになった。

　ひょっとしたら、あなたは、「例文3－2みたいなわかりにくい文を書く人なんて、実際にはいるわけないさ」と思うかもしれない。しかし、そんなことはない。私が若いころに読んだマルクスやエンゲルスの訳本は、こんなものではなかった。本当にすごかった（まだ売っています）。

3・3　文を短くするにはどうするか

文は短い方がよいと書いたが、どれくらい短くすればよいのだろうか。とくに根拠はないけれど、個人的な印象では、だいたい80字以内に収めれば、よいと思う。

さて、文が短い方がわかりやすいことは、たいていの人が知っている。それにもかかわらず、そこかしこで長文が見られるのはなぜだろうか。

「お酒は飲み過ぎない方がいいよ」とか「勉強はきちんとした方がいいよ」とか言う人がいる。でも、そんなことは、言われる方だってわかっている。わかっているけれど、できないのだ。やっぱりお酒は美味しいし、勉強なんかしない方が楽だからだ（注：個人差があります）。だから、「〜した方がいいよ」と口で言うだけでは、あまり効果はない。「文は短い方がいいよ」と書いただけでは、あまり意味がない。では、どうしたらよいのだろう。

頭で考えたことを、そのまま文章にすると、文は長くなりがちだ。頭の中は整理されていなくて、物事をだらだらと考えているからだ（少なくとも私はそうです）。しかも、頭の中で考える内容は、たいてい本人がよく知っていることだ。よく知っていることなら、文が長くても理解できる。

でも、読む方は違う。読む方は、これから読む内容を知らない。知らない内容のときは、文が長いと理解しにくいのだ。

だから、書き手は意識して、文を短くする努力が必要だ。意識しないと、文は長くなりがちだ。えてして、書きやすい文は読みにくく、読みやすい文は書きにくいのである。

それでは、文を短くするコツについて考えてみよう。

[問題3－1] 次の文章を、2つの文に分けよ。

キリンの首は長いが、首の骨の数はヒトと同じで7個しかない。

問題3－1は、「キリンの首は長い」という文と「首の骨の数はヒトと同じで7個しかない」という文が、逆接の接続表現「が」でつながったものだ。だから、問題3－1を2つの文に分けるには、「が」のところで切ればよい。そして、新たに逆接の接続表現でつなげばよい。

[問題3－1の解答例]

キリンの首は長い。しかし、首の骨の数はヒトと同じで7個しかない。

これは簡単だったろう。このように、短文に直すのが簡単な場合は、著者も読者のためを思って、最初から短文を書いてくれるに違いない。しかし、難しい場合は、長文のまま放っておかれることが多い。

［問題3－2］　次の文章を、3つの文に分けよ。

サケが海から川へ上ってきて産卵を終えると、ほとんどの個体が死んでしまう理由は、すべてのエネルギーを一回の産卵に注ぎ込んだ方が、つまり体力の限界まで卵をたくさん産んだ方が、結果的には多くの子を残すことができるからである。

サケは川で生まれ、海へ下って数年（2～5年ぐらい）を過ごす。それから再び、自分が生まれた川に上ってきて、産卵をする。産卵を終えると、ほとんどの個体が死んでしまう。なぜなら、産卵を終えたサケが、死なずにまた川を下り始めても、再び産卵のチャンスに恵まれる前に、死んでしまう可能性が高いからだ。それなら、体力を残しておくよりも、一回の産卵で、体力を使い切ってしまう方がよい。

進化というものは、生物を健康にしたり長生きさせたりするように、作用するとは限らない。このサケのケースは、早く死ぬように進化した例である。

さて、問題3－2は、問題3－1のようにはいかない。ただ文を分割して接続表現を入れるだけでは不十分である。まずは、悪い解答例を見てみよう。

［問題3－2の悪い解答例］

サケは海から川へ上ってきて産卵を終えると、ほとんどの個体が死んでしまう。なぜなら、すべてのエネルギーを一回の産卵に注ぎ込んだから、つまり体力の限界まで卵をたくさん産んだからである。その方が、結果的には多くの子を残すことができるのだ。

この文には1つ問題がある。それは、文を3つに分けることによって、論理が変化してしまったことだ。

元の問題文では、サケが産卵すると死ぬ理由は、「多くの子を残すことができるから」だった。しかし、悪い解答例では、サケが産卵すると死ぬ理由は、「すべてのエネルギーを一回の産卵に注ぎ込んだから、つまり体力の限界まで卵をたくさん産んだから」に変わっている。

この悪い解答例では、第1文が結果の文で、第3文が本来なら理由の文である。ところが、その間に、説明の文が割り込んできたため、結果の文と理由の文が離れてしまった。そのため、説明の文を理由の文と取り違えてしまったのである。

それでは、問題文の論理を変えずに、文を短くするには、どうすればよいだろうか。それには以下の、問題3－2の解答例のようにすればよい。

［問題3－2の解答例］

サケは海から川へ上ってきて産卵を終えると、ほとんどの個体が死んでしまう。なぜなら、その方が、多くの子を残すことができるからだ。サケはすべてのエネルギーを一回の産卵に注ぎ込んで、体力の限界まで卵をたくさん産むのである。

解答例では文の順序を変えて、結果の文の直後に、理由の文をもってきた。この方が文章としては自然であり、論理も変わることなく、短い文に直すことができた。

長い文を短い文にするには、ただ長い文をいくつかに切るだけでなく、切った文の順序を入れ換えた方がよいこともあるのだ。

さて、話は逸れるが、「が」と「は」の違いについて述べておこう。

元の問題文の冒頭は「サケが」だが、問題3－2の解答例では「サケは」に変更してある。「が」も「は」も主語を示す働きがあるが、とくに「は」には、その文のテーマを示す働きもある。

ちなみに、「が」や「は」は助詞と呼ばれる。「海に行く」「本を読む」の「に」や「を」も助詞で、「てにをは」と呼ばれることもある。

さて、問題3－2の問題文の主語と述語を抜き出せば、「理由は～である」となる。つまり、問題文のテーマは、「(サケが死んでしまう)理由」だ。そこで、テーマを示す「は」が後ろに付いて、「理由は」になっている。

一方、問題文の冒頭は、「サケが～を終える」となっている。この「サケ」は、冒頭部分における主語だが、問題文全体のテーマではない。そこで、主語を示す「が」が後ろに付いて、「サケが」になっている。

一方、解答例では、文が3つに分割されたために、冒頭部分が独立した文に格上げになった。その冒頭の文の主語と述語は、「サケは～死んでしまう」である。つまり「サケ」は、冒頭の文だけで考えれば、この文のテーマになっている。そこで解答例では、テーマを示す「は」(網掛け部分)が後ろに付いて、「サケは」に変更されている。

以上が「が」を「は」に変更した理由だが、実際に文章を書くときに、こんなややこしいことを考える人はいない。「が」と「は」の使い分けは難しいけれど、日本語の基礎力があれば、読んだとき不自然に感じるか感じないかで、つまり語調で判断するだけで十分だ。

「むかしむかし、あるところに、おじいさんとおばあさんが住んでいました。
おじいさんは山へ柴刈りに、おばあさんは川へ洗濯に行きました」

という文章は、物語の書き出しとして自然だけれど、

「むかしむかし、あるところに、おじいさんとおばあさんは住んでいました。
おじいさんが山へ柴刈りに、おばあさんが川へ洗濯に行きました」

という文章だと、少し不自然に感じる。そういう人であれば、語調で判断するだけで十分だ。
ただし、書いた文章は必ず読み返して、チェックすることを忘れてはいけない。

3・4　省略できる言葉を削る

前節では、長文を分けて文を短くすることを考えた。この節では、省略できる言葉を削って文を短くすることを検討する。省略できる言葉は、おもに2種類ある。

1つは、省略しやすい品詞だ。

「私が走る。」という文に「こと」を付けると、「私が走ること」という名詞になる。このように、文を名詞に変える名詞を形式名詞と言う。形式名詞には「こと」の他にも「ため」「もの」「とき」などがある。この形式名詞は省略できることが多い。

また、「作文の技術」の「の」は名詞を修飾する助詞だが、こういう「の」も省略できることが多い。

それでは、問題をやってみよう。

［問題3－3］ 次の文を、情報を減らさずに短くせよ。

温度を高くすることによって、過酸化水素を分解するための反応の速度を速くすることができる。

［問題3－3の解答例］

温度を高くすると、過酸化水素を分解する反応速度を速くできる。

問題3－3では、「することによって」を「すると」に変えた。また、「分解するための反応」を「分解する反応」に変えた。さきほど述べたように、「こと」とか「ため」とかは、省略できることが多い。また、「反応の速度」を「反応速度」に変えた。「の」も省略できることが多い。

省略できる言葉の2つ目は、意味が重複している言葉だ。こういう言葉は、特別な理由（これは後で説明する）がない限り、省略した方がよい。

［問題3－4］ 次の文を、情報を減らさずに短くせよ。
およそ一億年ほど前は、爬虫類の時代だった。恐竜や翼竜などのような爬虫類が繁栄していたからだ。

［問題3－4の解答例］
およそ一億年前は、爬虫類の時代だった。恐竜や翼竜などが繁栄していたからだ。

「およそ〜」と「〜ほど」は意味がほぼ同じなので、片方を削除した。また、「爬虫類」という単語が2ヵ所にあるが、前の「爬虫類」があれば、恐竜や翼竜が爬虫類であることはわかる。そこで、後ろの「爬虫類」は削除した。

それでは、問題3－3と問題3－4を踏まえて、少し長い文章だが、問題3－5をやってみよう。

［問題3－5］ 次の文章から、情報を減らさずに、不要な言葉を削除せよ（削除するだけでよい。新たな言葉を付け加える必要はない）。文章は全部で346字だが、少なくとも106字は削除して、240字以下にすること。

２０１３年に直径約17メートル、重さ約1万トンの隕石が、ロシアに落下した。隕石は落下地点の手前の低空で爆発し、約１５００人もの人々が負傷した。もし、さらに大きい隕石が人口密集地に落下したら、究極の大災害となることは間違いない。そのような隕石の衝突を防ぐためには、どうすればよいのだろうか。隕石の大きさが比較的小さく衝突まで時間がある場合は、探査機を急いで打ち上げて隕石に体当たりさせれば、地球への衝突を避けることが可能であると考えられる。しかし、この方法は、隕石が大きく衝突までの時間が短いときは使えない。隕石が大きく衝突までの時間が短い場合は、核エネルギーを使うしかないが、映画によくあるように爆破することが目的ではない。軌道を変えなければ、隕石の破片が地球に落下してくると考えられるからだ。

［問題3－5の解答例］ 削除する部分を網掛けで示した（１１２字削除した）。

２０１３年に直径約17メートル、重さ約1万トンの隕石が、ロシアに落下した。隕石は落下地点の手前の⑴低空で爆発し、約１５００人もの人々が負傷した。もし、さらに大きい隕石が人口密集地に落下したら、究極の大災害となることは間違いない。そのような隕石の衝突を防ぐためには、どうすればよいのだろう⑵か。隕石の大きさが比較的小さく衝突まで時間がある場合は、探査機を急いで打ち上げて隕石に体当たりさせれば、地球への衝突を避けることが可能であると考えられる。しかし、この方法は、隕石が大きく衝突までの時間が短いときは使えない。⑶隕石が大きく衝突までの時間が短い場合は、核エネルギーを使うしかないが、映画によくあるように爆破することが目的ではない。軌道を変えなければ、隕石の破片が地球に落下してくると考えられるからだ。

削除した16ヵ所のうち、番号を付けた3ヵ所だけ解説しておこう。

（1）もし、爆発しなければ、当たり前だが、隕石は落下地点に落下したはずだ。したがって、落下する直前は落下地点の手前にあったはずだ。これも当たり前なので、「落下地点の手前の」を削除しても情報は減らない。

（2）ここは、削除したこととは直接関係ないのだが、一言説明しておこう。文章を書くときは、ふつう文体を揃える。「です・ます」体、あるいは「だ・である」体のどちらかに揃えるわけだ（本書は「だ・である」体だ）。一方、「だ・である」体としてくくられる「だ」と「である」という2つの形式についても、使い分ける人がいる。これは人によって考え方が違うのだが、私は使い分けていない。その結果、本書の文章の中には、「だ」と「である」が混在している。その方が読みやすいと、私は思うからだ。ちなみに、ここで省略したのは「だ」形式の「のだろう」だが、「である」形式だと「のであろう」になる。

つまり、本書は「だ、である」体で書いてあり、「だ」と「である」については混在している。あまり気にする人はいないかもしれないが、本書は文章についての本なので、一言言い添えておく。

（3）隕石が大きく衝突までの時間が短いことが、2回繰り返されているので、「しかし、この方法は、隕石が大きく衝突までの時間が短いときは使えない。」の文全体を削除した。

問題3－5では、文を短くするために言葉を削除した。しかし、削除するだけでなく一部を書き直せば、さらに文を短くできる。たとえば、次のような場合だ。

本を出版することが可能である。

←本を出版することができる。
←本を出版できる。

短くするコツは簡単なので、問題をやってみよう。

［問題3－6］　次の文を短くせよ。

（1）恐竜の絶滅によって、哺乳類は地球上に放散することが可能になった。
（2）多くの化石は、過去に存在した生物の遺骸である。
（3）一度ドクチョウ（毒蝶）を食べた鳥は、次からは食べるのを避ける。
（4）速く泳ぐには、どうしたらよいだろうか。
（5）プテラノドンは飛行した。

［問題3－6の解答］　書き直した部分は網掛けにしてある。

（1）恐竜の絶滅により、哺乳類は地球上に放散できた。

（2）多くの化石は、過去の生物の遺骸である。
（3）一度ドクチョウ（毒蝶）を食べた鳥は、次からは食べない。
（4）速く泳ぐには、どうするか。
（5）プテラノドンは飛んだ。

それでは、問題3－6を踏まえて、さきほどの隕石に関する文章をさらに短くしてみよう。

［問題3－7］ 次の文章は、問題3－5で言葉を削除して短くした文章である。この文章を、情報を減らさずにさらに短くせよ。今回は言葉を削除するだけでなく、一部を書き直してよい。文章は全部で233字だが、少なくとも33字は短くして、200字以下にすること。

2013年に直径約17メートル、重さ約1万トンの隕石が、ロシアに落下した。隕石は低空で爆発し、約1500人が負傷した。さらに大きい隕石が人口密集地に落下したら、大災害となる。そのような衝突を防ぐには、どうすればよいか。隕石が小さく衝突まで時間がある場合は、探査機を体当たりさせれば、地球への衝突を避けることが可能である。隕石が大きく衝突までの時間が短い場合は、核エネルギーを使うしかないが、爆破が目的ではない。軌道を変えなければ、隕石の破片が地球に落下してくるからだ。

［問題３－７の解答例］　書き直して短くした部分を網掛けにしてある（34字短くした）。

２０１３年に直径約17メートル、重さ約１万トンの隕石が、ロシアに落ちた。隕石は低空で爆発し、約１５００人が負傷した。さらに大きい隕石が人口密集地に落ちたら、大災害となる。では、どうするか。隕石が小さく衝突まで時間があれば、探査機を体当たりさせて、地球への衝突を避けられる。隕石が大きく衝突まで時間がなければ、核エネルギーを使うしかない。だが、爆破しても、軌道を変えないと、隕石の破片が地球に落下する。

ただし実際には、ここまで短くする必要はないだろう。何ごとも、全力でギリギリまでやるのは危険なことだ。文を短くする力を十分に身につけたうえで、その力の７割ぐらいを出して、簡潔な文を書いていくのがよいだろう。

３・５　１つの語句には１つの意味

わかりやすい文章を書くには、文を短くすることが効果的であることを述べてきた。次は、語句について考えてみよう。まずは、一番大切なことだ。

［問題3-8］ 次の文章には「人類」という言葉が3ヵ所使われているが、そのうちの1つは他の2つとは意味が異なる。その、1つだけ意味の異なるものはどれか。

人類⑴が文明を生み出した理由の一つが、その大きな脳にあったことは間違いない。人類⑵の脳の大きさは、チンパンジーの3倍以上なのだ。しかし、直立二足歩行を始めたころの人類⑶は、チンパンジーと同じぐらいの大きさの脳しかもっていなかった。

約700万年前に、私たちの祖先は、現在のチンパンジーやボノボに至る系統と分岐した。分岐した後の、ヒトに至る系統に属する種を、すべて「(広義の)人類」と言う。人類は約700万年のあいだに種分化を繰り返し、ホモ・エレクトゥスやネアンデルタール人など数十種を生み出した。初期の人類の脳はチンパンジーと同じぐらいだったが、後期には脳が大きい人類も現れた。私たちは、和名はヒト、学名はホモ・サピエンスという種で、人類の中の一種である。そして、人類としては、現在まで生き残っている唯一の種でもある。

一方、現在まで生き残っているヒトのことを「(狭義の)人類」と言うこともある。一般には、こちらの方がよく使われている。

さて、問題文では「人類」という単語が、（1）～（3）の3ヵ所で使われている。（1）と（2）は狭義の人類、つまりヒトを意味している。脳がチンパンジーの3倍以上もあって、文明を生み出した人類は、ヒトしかいないからだ。ちなみに、脳がチンパンジーの3倍以上の人類は、ヒト以外にも何種かいたが、いずれも文明は生み出していない。

一方、（3）は、広義の人類を意味している。直立二足歩行は約700万年前に進化したと考えられており、その頃には、まだヒトはいなかったからだ。

もちろん問題文は悪い例で、このように1つの語句を複数の意味で使ってはいけない。さらに問題文の悪いところは、人類が複数の意味を持つことに、読者が気づきにくいところだ。問題文をさらりと読んだだけでは、「人類」という単語の意味が、途中で変わっていることに気づかない読者も多いだろう。

一番よいのは、正しい文章だ。二番目によい（？）のは、間違っているけれど、その間違いが読者にわかる文章だ。一番悪いのは、間違っているのに、その間違いが読者にわからない文章だ。そういう文章は、読者を間違った論理に誘い込んでしまう。もっとも、人をだますときには役に立つかもしれないけれど。

［問題3－8の解答］（3）

1つの語句に複数の意味を持たせないこと、つまり、1つの語句に1つの意味を持たせることは、語句の使い方でもっとも大切なことである。もしも、キーワードのような重要な語句が複数の意味を持っていれば、そもそも論理的な文章は書けない。それに比べれば、他のことは重要ではない。とはいえ、ある程度は重要なので、その他の語句の使い方も検討しよう。まずは、論理的な文章を書くときに便利な言葉を、いくつか紹介する。

3・6 便利な語句

初めて本を書いたときのことである。私は、担当の編集者から、いくつかアドバイスをもらいながら書き進めていた。

よいアドバイスだなと思ったら、だいたい90パーセントぐらいそのアドバイスに従うつもりで書くとよいだろう。アドバイスを100パーセント守ろうとすると、きゅうくつで文章が書きにくくなる。それに、世の中にはたいてい例外というものがあるので、アドバイスに従わなくてもよいときもあるのだ（本書もそのくらいの気持ちで、気楽に読んでくだされば幸いです）。

そんな中で珍しく、私が今でもほぼ100パーセント守っているアドバイスがある。それは、「文章は図に頼ってはいけない」というものだ。

図はいらないと言っているわけではない。その反対である。論理的な文章には、図があった方がよい。たくさんあった方がよい。文章だけではわかりにくくても、図を見れば簡単に理解できることもある。しかし、図があるからといって、文章に手を抜いてはいけないのだ。「連帯責任は無責任」という言葉がある。文章と図の両方で説明していると思うと、つい気がゆるんで、文章が雑になってしまう。だから文章を書くときは、図はない、と思って書くべきだ。文章だけでわかるように書くべきだ。

もちろん、例外はある。非常に複雑なことを説明するときには、文章の中で図を説明する必要があるかもしれない。文章の中で、一つ一つ図と対応させながら、説明を進めていく必要があるかもしれない。しかし、そういう場合であっても、なるべく図に頼らない文章を書くべきだ。

ところが、図で説明しやすいことは、たいてい文章では説明しにくいことだ。そこをがんばって文章で説明するには、根気がいる。根気はどうしても必要だが、そういうときに便利な語句があれば、少しは楽になる。その代表的なものが「それぞれ」と「同士」だ。

［問題3-9］　次の文の（　）に適切な言葉を選べ。

高地に住むチベット人の多くには、EPAS1という遺伝子に、酸素の少ない環境に適応した変異がある。しかし、平地に住む漢民族には、この変異がほとんどない。この変異がチベット人に多いのは、高地に住むようになったために起きた進化だと考えられる。

一方、地球の反対側で、やはり高地に住むアンデス民族には、EGLN1という別の遺伝子に、酸素の少ない環境に適応した変異がある。この2つの民族は、独立に高地へ移住しており、変異も異なる遺伝子に起きている。

したがって、高地に適応する進化は、チベット人とアンデス民族という高地民族（1）（同士／それぞれ）で起こり、高地民族（2）（同士／それぞれ）で遺伝子のやりとりがあったわけではない。

平地民族	アジアの平地民族	南アメリカの平地民族
	⇓ 移住	⇓ 移住
高地民族	チベット人（EPAS1の変異が広まる）	アンデス民族（EGLN1の変異が広まる）

［問題3－9の解答］
（1）それぞれ　（2）同士

さて、もう一つの便利な語句は「より」だ。

「クジラはゾウより大きい」と言うときの「より」（格助詞の「より」）は、昔から使われている用法だ。しかし、「将来クジラはより大きくなる可能性がある」と言うときの「より」（副詞の「より」）は、英語やドイツ語などの翻訳文において明治以降に使われ始めた用法らしい。そのため、こちらの「より」は日本語として不自然なので、使わない方がよいという意見もある。

たしかに、副詞の「より」の代わりに「もっと」や「いっそう」といった副詞を使うこともできるし、「もっと」や「いっそう」の方が日本語としては自然な感じがする。しかし一方で、「よりよい社会」のように決まり文句になっている「より」もある。この場合は、「もっとよい社会」や「いっそうよい社会」よりも、「よりよい社会」の方が頻繁に使われていて、自然な言い回しになっている。

また格助詞の「より」にはいくつかの意味があるが、副詞の「より」は歴史が浅いため、「程度が高い」ことを示す意味しかない。したがって、副詞の「より」を使った文は、意味が明確でわかりやすい。日本語としては少しこなれていないかもしれないが、論理的な文章を書くときには便利な言葉である。私は副詞の「より」は、積極的に使った方がよいと思う。

3・7 注意すべき語句

さて、その他の注意すべき語句については、次の問題を解きながら考えていこう。

［問題3－10］ 次の文章の（ ）の中から適切な言葉を選べ。

1789年に、イギリスの軍艦バウンティ号で反乱が起きた。反乱者たちは、（1）（船長たち／船長と乗組員の一部）を救命艇に乗せて、海上に追放した。その後、バウンティ号の乗組員は、まだ（2）（英国人／イギリス人）に知られていなかったピトケアン島に辿り着き、そこに住みついた。

それから、しばらくのあいだ、反乱者とその子孫は、外界から完全に孤立して暮らしていた。その後、人口が増えたため、ピトケアン島からノーフォーク島に一部が移住したが、現在でも（3）（この／ノーフォーク）島の住民は、（4）（基本的には／大部分が）反乱者の子孫である。そのため、近親交雑の影響で、高血圧や肥満の人が多い。

生存に不利な遺伝子の多くは（5）（劣性遺伝子／潜性遺伝子）なので、その効果が形質として現れないことが多い。しかし、近親交雑の場合は両親の遺伝子が似ているため、子供では対立遺伝子の両方が（6）（劣性遺伝子／潜性遺伝子）になることが多い。そのため、生存に不利な形質を持った子供が生まれやすいのである。

バウンティ号の反乱は、小説や映画の題材にもなったが、はからずもヒトを使った遺伝学の実験になったことでも有名である。

（1）どちらの選択肢も可能である。しかし、「船長たち」を選ぶと、直前の「反乱者たち」の「たち」と重なって読みにくい。また、論理的な文章では、「全体の話」なのか「一部の話」なのかを区別することが重要である。そのため、（少し文章が読みにくくなっても）文章の内容を正確にするために、「〜の一部」「〜の一種」「〜の一つ」などは積極的に使った方がよい。そのため、答えとしては、「船長と乗組員の一部」の方が、より適切である。

ちなみに、反乱が起きたときのバウンティ号の乗組員は全部で44人だった。そのうち反乱者は12人だったので、反乱に加わらなかった人は船長を含めて32人だ。しかし、救命艇に乗せられて追放されたのは、船長を含めて19人だった。つまり、追放されたのは船長と乗組員の一部であった。

（2）1つの語句に複数の意味を持たせないことが一番大切だが、同じ意味で複数の語句を使わないことも大切である。問題文の1行目に「イギリス」とあるので、その後も「イギリス」で統一し、「英国」は使わない方がよい。

（3）これは指示語の問題だ。「これ」や「その」などの指示語は、何を指すかが明確ならば、文が短くなるので使うべきだ。しかし、（3）の「この」は、ピトケアン島を指しているのか、ノーフォーク島を指しているのか、文章を読んでもわかりにくい（じつはノーフォーク島を指している）。何を指すかが明確でなければ、指示語を使ってはいけない。何を指すかわからない指示語が入った文章はかなり多いので、気をつけたい。

ところで3・4節で、重複している言葉は、特別な理由がないかぎり、省略した方がよいと述べた。この（3）が、その特別な理由の例だ。たとえ重複していても、省略すると文章の意味がわからなくなる言葉は、当たり前だが省略してはいけない。

（4）「基本的に」は、いろいろな場面で使える便利な言葉である。そのため、つい使い過ぎる傾向がある。もしも「基本的でない場合」が思いつかなければ、使ってはいけない。「基本的でない場合」があってはじめて「基本的に」を使う意味があるのだから。

また、「基本的に」は、現象や行動によく使う。（4）の場合は、数が多いという意味なので、「大部分」の方がよい。

（5）と（6）は専門用語の問題だが、高校の教科書にも出てくる用語なので、取り上げてみた。読者が、一般用語のイメージから専門用語の意味を誤解していることは、珍しくない。その大部分は、専門用語の名前の付け方に問題があるのだが、とにかく誤解を招かないような文章にしないといけない。

メンデルはエンドウを使って遺伝学の実験を行った。その結果は1866年に論文として発表された。エンドウは、子葉の色を決める遺伝子を2つずつ持っている。オス（花粉）とメス（胚珠(はいしゅ)）から1つずつ受け継ぐからだ。この遺伝子には、子葉を黄色にする遺伝子（Aとする）と、緑色にする遺伝子（aとする）の2種類があり、両者を対立遺伝子と呼ぶ。そして、遺伝子型がAAかAaなら形質（子葉の色）は黄色になり、aaなら緑色になる。つまり、Aaの場合はAの形質だけが現れ、aの形質は現れない。Aのように形質が現れやすい遺伝子を顕性(けんせい)遺伝子、aのように形質が現れにくい遺伝子を潜性遺伝子と言う。

ところで、以前は顕性遺伝子のことを優性遺伝子、潜性遺伝子のことを劣性遺伝子と呼んでいた。この顕性と潜性（あるいは優性と劣性）の意味は、形質に現れやすいか現れにくいか、という意味であって、生存に有利か不利か、という意味はない。しかし、優性遺伝子とか劣性遺伝子とか言うと、生存に有利あるいは不利な遺伝子というイメージを持たれやすい。そういう誤解を避けるため、「優性遺伝子」の代わりに「顕性遺伝子」を、「劣性遺伝子」の代わりに「潜性遺伝子」を、使うことが増えてきたのである。したがって、（5）（6）は「潜性遺伝子」が適切である。

ちなみに、ややこしいことに、生存に不利な遺伝子に、潜性遺伝子が多いのは事実である。それは当然で、もしも生存に不利な遺伝子が顕性遺伝子だったら、それを持つ個体には、必ず生存に不利な形質が現れる。だから、生存に不利な顕性遺伝子は、すぐに自然淘汰で除かれてしまう。ところが、生存に不利な遺伝子が潜性遺伝子なら、話が違ってくる。潜性遺伝子なら、Ａａのようなヘテロ接合になれば、自然淘汰の目を逃れることができる。自然淘汰は形質にしか作用しないからだ。そのため、生存に不利なのに生き残っている遺伝子は、大部分が潜性遺伝子なのである。

とはいえ、すべての潜性遺伝子が生存に不利というわけではない。そこはきちんと区別しなければいけない。

［問題3－10の解答］
（1）船長と乗組員の一部　（2）イギリス人　（3）ノーフォーク　（4）大部分
（5）潜性遺伝子　（6）潜性遺伝子

［問題3－11］　次の文章の（　）の中から適切な言葉を選べ。

カンガルーのような有袋類は、未熟児の状態で子供を産む。子供は母親のお腹の袋まで（1）（這い／這っていき）、その中で母乳を飲んで育つ。この有袋類がオーストラリアで繁栄したのは、（2）（優れた、哺乳類の別のグループである／哺乳類の別のグループである、優れた）有胎盤類が、オーストラリアにいなかったからだと説明されることがある。しかし、それは正しくない。

化石の証拠から、約5500万年前のオーストラリアには、有袋類と有胎盤類が両方いたことがわかっている。その後オーストラリアでは、有胎盤類が絶滅して有袋類が生き残ったのだ。条件によって有胎盤類が生き残ったり、有袋類が（3）（生き残ることもある／生き残ったりする）のだ。いつも有胎盤類が有袋類より（4）（有利／優位）に立つとは限らないのである。

（1）これは言葉の呼応の問題で、「〜まで」に続くのは「這い」ではなく「這っていき」である。

（2）長い修飾語と短い修飾語があるときは、短い修飾語を修飾される語の近くに置く。この問題では、「優れた」が短い修飾語、「哺乳類の別のグループである」が長い修飾語、「有胎盤類」が修飾される語なので、「哺乳類の別のグループである、優れた有胎盤類」という順序になる。

（3）「たり」は並列を示す助詞であり、「彼は食べたり、飲んだりした」のように、並列するそれぞれの言葉につくのが原則である。「彼は食べたり、飲んだ」のようには言わない。ただし、「彼は食べたりした」とは言う。「食べる」以外のこと（たとえば「飲む」）もしたけれど、ここでは省略する、という意味である。

（4）これも言葉の呼応の問題。「立つ」の前にくるのは「優位」である。

［問題3－11の解答］

（1）這っていき　（2）哺乳類の別のグループである、優れた　（3）生き残ったりする

（4）優位

3・8　能動態と受動態

論理的な文章では、能動態と受動態をきちんと使い分けて書くことが必要である。そのときに注意すべきことは2つだ。

（1）文章の内容によって、文を能動態にするか受動態にするかを決めること。
（2）主語が明記しにくいときは、受動態を使うこと。

まず（1）だ。文章の内容によって、その中にある文の主語は決まる。そして、主語が決まれば自動的に、その文が能動態になるか受動態になるかが決まる。つまり、文章の内容によって、文の態（能動態か受動態か）が決まるのである。

じつは、能動態や受動態については、いろいろな意見がある。受動態は日本的であるという人もいれば、日本的でないという人もいる。日本的だからよいという人もいれば、日本的だからよくないという人もいる。あるいは、何でもかんでも能動態がよいという人もいる。なんだかよくわからないが、とにかく文章で一番大切なのは内容であり、その内容によって態が決まると考えておくのがよいだろう。

[例文3－4]

ガゼルはライオンに食べられそうになったが、間一髪で逃げることができた。なんとか生き延びたガゼルは、その日の午後、草を食べてすごした。しかし翌日、ガゼルはチーターに食べられてしまった。

例文3－4は、3つの文から成る文章である。この文章のテーマはガゼルなので、3つの文の主語はすべてガゼルになっている。

最初の文は、ガゼルとライオンについて述べている。もしライオンを主語にすれば、「ライオンはガゼルを食べそうになったが」と能動態になるが、ここではガゼルが主語になっているので「ガゼルはライオンに食べられそうになったが」と受動態になっている。

2番目の文もガゼルが主語になっているので、「ガゼルは～草を食べて」と能動態になっている。もし草が主語になら、「草はガゼルに食べられて」と受動態になる。

3番目の文もガゼルが主語になっているので、「ガゼルはチーターに食べられて」と受動態になっている。もしチーターが主語なら、「チーターはガゼルを食べて」と能動態になる。

以上をまとめると、以下のようになる。

	主語	態	主語	態
第1文	ガゼル	受動態	ライオン	能動態
第2文	ガゼル	能動態	草	受動態
第3文	ガゼル	受動態	チーター	能動態

例文３－４では主語を「ガゼル」に揃えたので、態が「受動態→能動態→受動態」と変化しているが、わかりやすい文章になっている。もしもすべての文を「能動態」に揃えたら、主語が「ライオン→ガゼル→チーター」と変化して、わかりにくい文章になる。

このように文章の内容によって、その文章中に含まれる文を、能動態か受動態に決めなければならない。

能動態と受動態の使い分けで注意すべきことの２つ目は、

（２）主語が明記しにくいときは、受動態を使う。

ということであった。

［問題3－12］次の（1）～（3）の文章で、それぞれ適切なものはA、Bのどちらか。

（1）A：コオロギを使って、ある遺伝子の働きを抑える実験がおこなわれた。その結果、腹部のないコオロギが発生することを確認した。

B：コオロギを使って、ある遺伝子の働きを抑える実験がおこなわれた。その結果、腹部のないコオロギが発生することが確認された。

（2）A：多くの科学者が、宇宙は約138億年前に誕生したと考えている。

B：宇宙は約138億年前に誕生したと考えられている。

（3）A：グルコースから得られたエネルギーは、何に使われるのか。

B：これらの動物は、グルコースから得られたエネルギーを何に使うのか。

（1）Aは不自然な文章である。前の文の主語（実験が）と後ろの文で省略されている主語（私たちは）が違うからだ。主語が、前の文の主語と同じであれば、省略してもよい。しかし、違う場合は省略しない方がよい。一方、Bは前の文にも後ろの文にも主語があり、とくに問題はない。

（2）主語が漠然としているときは、主語は書かなくてよい。とくに、すでに確立された仮説を紹介するときには、人間を主語にする必要はない。人間の主語があると読みにくいだけでなく、主語を正確に示すことが難しいからだ。たとえば、この場合の「多くの科学者」という主語は正しいだろうか。宇宙が約138億年前に誕生したという説を、宇宙物理学者ならほぼ全員知っているだろうが、科学者全体ではどうだろうか。意外と知られていないかもしれない。じゃあ、宇宙物理学者と書けばよいだろうか。でも、それでは範囲が狭すぎておかしい気がする。

このケースのように、主語がよくわからなくて、かつ、主語を記述しなくても読者に誤解を与えるおそれがないときは、無理に主語を書く必要はない。いや、むしろ主語を書かない方が、正確な文と言える。

（3）これは、前後の文脈によって、受動態と能動態のどちらが適当か、が決まるケースだ。助詞の「は」には、文のテーマを示す働きがある（95ページ）ので、Aのテーマはエネルギーで、Bのテーマは動物だ。したがって、前後の文脈で、エネルギーがテーマになっているなら、Aがよい。しかし、動物がテーマになっているなら、Bがよい。

［問題3－12の解答］（1）B　（2）B　（3）文脈による

3・9　主語と述語・二重否定

能動態と受動態の他にも、注意すべき表現がいくつかある。それらについては、次の問題で考えてみよう。

［問題3－13］ 以下の文章の中で、網掛けした文には改善すべき点がある。それを指摘せよ。

海には、潮の満ち引きがある。つまり、海水面は1日に2回、上がったり下がったりする。(1)潮の満ち引きは月の重力によって起きるが、海水を月の方へ引き上げるわけではない。もしそうなら、月に面した海は満ち潮になり、月と反対側の海は引き潮になるはずだ。しかし、実際には、月に面した海とその反対側の海が、同時に満ち潮になる。引き潮になるのは、その中間にある海である。では、どうして潮の満ち引きは起きるのだろうか。

地球は月の重力によって引かれている。(2)だから、地球は月に衝突しないけれど、月を向かって落ちていないわけではない。ちなみに、地球と月が衝突しない理由は、お互いの周りを公転しているからである。

さて、月の重力は、月に近いほど強く、遠いほど弱い。そのため、落ちる速さは、月に近いほど速く、遠いほど遅い。つまり、月に落ちる速さが一番速いのは月に面した海水で、中ぐらいなのが固体の地球で、一番遅いのが月と反対側の海水だ。したがって、地球は月に向かって細長くなる。それが、月に面した海と反対側の海が、満ち潮になる理由である。

（1）潮の満ち引きは月の重力によって起きるが、海水を月の方へ引き上げるわけではない。

この問題を考える前に、少し寄り道をしよう。以下の2文は、両方とも主語と述語が照応していない間違った文である。もっとも、（A誤）のような間違いをする人は、まずいないだろう。しかし、（B誤）のような間違いをする人は、わりといるのではないだろうか。

（A誤）ヘリコプターはプロペラで飛ぶが、ジェットエンジンで飛ぶ。
（B誤）ヘリコプターはプロペラで飛ぶが、じつは扇風機より回転速度が遅い。

主語を書き足して、主語と述語の照応を正しくすると、こうなる。

（A正）ヘリコプターはプロペラで飛ぶが、ジェット機はジェットエンジンで飛ぶ。
（B正）ヘリコプターはプロペラで飛ぶが、じつはプロペラは扇風機より回転速度が遅い。

（A誤）で書き忘れた主語は「ジェット機は」だ。この「ジェット機」は文の前半には書かれていない新しい言葉である。こういう新しい言葉を書き忘れることはまずない。

一方、（B誤）で書き忘れたのは「プロペラは」だ。この「プロペラ」は、文の前半に書かれている言葉である。すでに書かれていて頭にも残っている言葉なので、後半の「プロペラ」を主語にした文を書くときに、省略できるような気がしたのだろう。たしかに、もし前半で「プロペラ」が主語になっていたら、後半では省略することができる。でも実際には、前半の主語は「プロペラ」ではなく、「ヘリコプター」である。だから、省略できないのだ。

では、問題文の（1）に戻ろう。

（1）潮の満ち引きは月の重力によって起きるが、海水を月の方へ引き上げるわけではない。

この文には主語が1つ（潮の満ち引きは）しかないので、素直に読むと、後半の「引き上げる」の主語は「潮の満ち引きは」ということになる。しかし、意味を考えれば「海水を月の方へ引き上げるわけではない」の主語は、明らかに「月の重力」であって「潮の満ち引き」ではない。そこで、「月の重力」を補って、以下のようにすれば、主語と述語の照応は正しくなる。

（1の改善例1） 潮の満ち引きは月の重力によって起きるが、月の重力が海水を月の方へ引き上げるわけではない。

もう少しだけ、考えてみよう。たしかに、主語と述語の照応は正しくなったけれど、この文には「月の重力」が続けて2回出てくるので、やや読みにくい。何とかならないだろうか。

こういう場合は、後半の主語を変えてみるのも一つの方法である。たとえば、後半の文の目的語である「海水」を主語に変えると、以下のようになる。


（1の改善例2）　潮の満ち引きは月の重力によって起きるが、海水が月の方へ引き上げられるわけではない。

これなら、「月の重力」が重なって読みにくいこともないし、主語と述語の照応も正しい。ちなみに、後半の文は「海水が」が主語になったので、能動態を受動態に変化させている。

（2）だから、地球は月に衝突しないけれど、月を向かって落ちていないわけではない。

この文には、改善すべき点が2つある。1つずつ見ていこう。

まず、文には格というものがある。

「私は犬を撫でた」なら、「私は」は主格、「犬を」は対格という（「撫でた」は述語）。

「私は犬に噛まれた」なら、「私は」は主格、「犬に」は与格という（「噛まれた」は述語）。

主格や対格といった用語を気にする必要はないが、格が間違っていると文意がおかしくなる。

（２）の文は格が間違っていて、「月を向かって落ちて」は「月に向かって落ちて」が正しい（ちなみに「月を目指して落ちて」なら「を」が正しい）。こういう間違いは、読めばすぐにわかるけれど、書いているときには意外と気づかないものである。だから、何度も言うが、書いた文章は必ず読み直さなくてはいけない。

芥川賞作家でもあり『森鷗外』という有名な作家論を書いた石川淳（いしかわじゅん）は、私が憧れる作家の一人である。アジア太平洋戦争中は江戸に留学すると言って、江戸時代の書物や芸術作品とともに生きた。江戸の芸術を見尽くした石川淳は、戦後になると言葉に重みがある著作家として、誰もが一目置く存在になった。その石川淳は、一度書いた原稿は直さないらしい。こういう人の真似をしてはいけない。

（２）だから、地球は月に衝突しないけれど、月を向かって落ちていないわけではない。

この文のもう一つの問題点は、二重否定が使われていることだ。二重否定は否定の否定だから、意味はだいたい肯定になる。

しかし、ただの肯定ではなく、弱い肯定か強い肯定の意味で使われる。

「好きじゃないわけじゃないけど」という二重否定は、「好きだよ」という肯定より弱い。一方、「悲しまない者はいなかった」という二重否定は、「みんな悲しんだ」という肯定より強い。

弱い肯定をたくさん使うと、文章の内容があいまいになる。強い肯定をたくさん使うと、強調の意味がインフレを起こして、薄れてしまう。したがって、二重否定をたまに使うのは構わないけれど、あまり多用しない方がよい。もし使わなくて済むなら、使わない方がよい。この（2）でも、わざわざ使う必要はない。「落ちていないわけではない」を「落ちている」にした方が、文意も明確ですっきりする。

さて、二重否定は「否定の否定」だった。それと紛らわしいのが、「反対の否定」だ。

［例文3－5］「べつに不味くなければいいよ」

食べ物には美味しいものも不味いものもあるが、その中間もある。ここでは、それを普通と呼ぶことにしよう。すると食べ物には、「美味しいもの」と「普通のもの」と「不味いもの」の3種類があるわけだ。

「美味しいもの」の反対は「不味いもの」だ。一方、「美味しいもの」の否定は美味しくないものなので、「普通のもの」と「不味いもの」の両方になる。ということは、「美味しいもの」の反対の否定は、「不味いもの」の否定だから、「美味しいもの」と「普通のもの」になる。つまり例文3－5は「美味しいもの」の反対の否定と同じ意味になる。反対の否定は、論理的な文章ではわりとよく使う。本書でも、あとで出てくる。

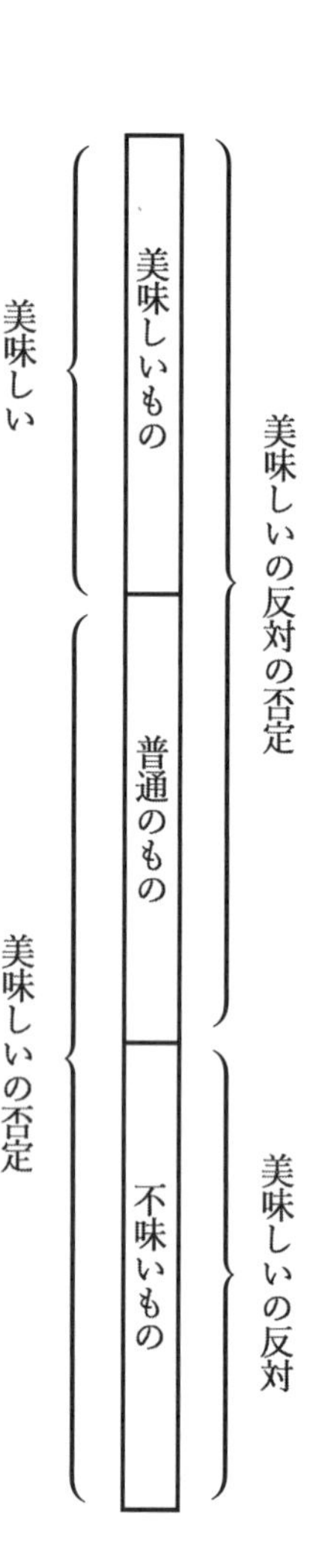

文章の話ではないが、1つだけ補足しておこう。地球と月はお互いの周りを公転していると述べた。とはいえ、地球は月よりも質量が大きい。だから、月は地球の周りを大きく回転するけれど、地球はわずかに振れるほどしか回転しない。そのため、ふつうは地球が月の周りを公転しているとは言わない。しかし、力学的には、地球と月の関係はお互いに同じであり、お互いに公転していると言ってもよい。

［問題3－13の解答］

（1）潮の満ち引きは月の重力によって起きるが、海水が月の方へ引き上げられるわけではない。

（2）だから、地球は月に衝突しないけれど、月に向かって落ちている。

3・10　明確な文

言うまでもないが、文を読んだときにその意味が1つに決まらないと、読者は困ってしまう。文の意味を明確にするために大切なことの一つは、読点の打ち方である。

読点（、）の打ち方については、昭和20年代に文部省が作成した案や通知にまとめられているが、それ以外にも慣習的なルールが存在する。それらのルールは厳密なものではないし、そもそもルールがあることを知らない人もたくさんいる。だから、あまりとらわれる必要はない。次の4つのルールを知っておけば、十分だろう。

（1）文を中止するときに打つ。

1つの文の中に、2つの文が含まれているときに、その間に読点を打つ。

（例）風も吹いていたし、雨も降っていた。
「文」　「文」

（2） 副詞（句）の前後に打つ。

（例）友達がつまらないと言っていたので、映画に行くのをやめた。
副詞句

（例）映画に行くのを、友達がつまらないと言っていたので、やめた。
副詞句

（3） 受ける言葉が遠いときに、掛かる言葉の後に打つ。

掛かる言葉と受ける言葉の距離が遠いほど、読点が打たれる確率が高くなる。次の例1～4は（読点が打ってあるが）、すべて読点を打っても打たなくてもよい文である。しかし、例1から例4になるにつれて、掛かる言葉と受ける言葉が離れていくので、読点が打たれる確率は高くなっていく。

（例1）その少年は、少女を見た。
（例2）その少年は、きれいな少女を見た。
（例3）その少年は、きれいなやせた少女を見た。

（例4）その少年は、目のきれいなやせた少女を見た。
掛かる言葉　受ける言葉

（4）意味のまとまりの前後に打つ。

（例1）私はしばらく休む少女を見た。
（例2）私は、しばらく休む少女を見た。
（例3）私はしばらく、休む少女を見た。

例1だと「しばらく」が、「休む」に掛かっているのか「見た」に掛かっているのかわからない。それを明確にするために、打つ読点だ。例2のように読点を打てば「しばらく」は「休む」に掛かるし、例3のように読点を打てば、「しばらく」は「見た」に掛かることが明確になる。この読点は大事なので、ルール（2）や（3）よりも優先させて打つべきである。

それでは、問題をやってみよう。

［問題3－14］　以下の文は2通りに解釈できる。これらを、それぞれ1通りにしか解釈できな

い2通りの文にせよ。必要であれば、言葉を補ってもよい。

（1）私たちの細胞には、核という膜に包まれた構造がある。

（2）一般相対性理論は、アインシュタインが最初に発表した理論ではない。

（3）地球では、月に面した海と反対側の海が、満ち潮になる。

（1）私たちの細胞には、核という膜に包まれた構造がある。

この文は、「核という」が、どの語に掛かるかによって、2通りに読める。

（A）「構造」に掛かる。

（B）「膜」に掛かる。

（A）の意味にするためには、語順か読点の位置を変えればよい。

日本語では、修飾する語句は、修飾される語句の前になければならない。そこで語順を変えて、「膜」を「核」の前に移動させれば、「核」は「膜」に掛かることはできなくなる。

私たちの細胞には、膜に包まれた核という構造がある。

あるいは、読点を打つことによっても、（A）の意味にすることができる。読点のルール（3）をふまえて、考えてみよう。

掛かる言葉「核という」が、受ける言葉「構造」から遠いので、掛かる言葉「核という」の後に読点を打つと、以下のようになり、意味が明確になる。

私たちの細胞には、核という、膜に包まれた構造がある。

一方、（B）の意味、つまり「核という」を「膜」に掛かるようにするには、読点のルール（4）をふまえて、以下のように読点を打てばよい（助詞の「を」や「に」の後には、あまり読点をつけないのだが、文意が明確になるなら、つけた方がよい）。

私たちの細胞には、核という膜に、包まれた構造がある。

ちなみに、細胞の説明として正しいのは（A）である。

（2）一般相対性理論は、アインシュタインが最初に発表した理論ではない。

この文は、以下の2通りに解釈できる。

（I）一般相対性理論を最初に発表した人は、アインシュタインではない。

（II）アインシュタインが発表した理論の中で、一般相対性理論は最初のものではない。

この文がわかりにくい理由は、最後の「ではない」が、何を否定しているのか不明確だからだ。「AはBではない」という形の文なので、Bが否定されていることはわかる。ところがBに相当する部分が「アインシュタインが最初に発表した理論」と長いので、Bの中の何が否定されているのか、わからないのである。

それを解決するには否定される部分を、つまりBを短くすればよい。そして、余った言葉はAに移動させれば、明確な文になる。

(I′) 一般相対性理論を最初に発表したのは、アインシュタインではない。

(II′) アインシュタインが発表した理論の中で、一般相対性理論は最初の理論ではない。

(3) 地球では、月に面した海と反対側の海が、満ち潮になる。

この文は、「月に面した海と、反対側の海との、両方が」という意味と、「月に面した海の反対側にある海だけが」という意味の、2通りに解釈できる。現実と合っているのは前者だ。

この文では、読点を付けたり、語順を変えたりしても、意味が明確にならない。こういう場合は、言葉を補わなければいけない。そこで、「両方とも」や「だけ」を付け加えて、以下のようにすればよい。

地球では、月に面した海と反対側の海の両方が満ち潮になる。
地球では、月に面していない海だけが、満ち潮になる。

［問題3－14の解答例］

（1）（A）私たちの細胞には、膜に包まれた核という構造がある。
（あるいは）私たちの細胞には、核という、膜に包まれた構造がある。
（B）私たちの細胞には、核という膜に、包まれた構造がある。
（2）（A）一般相対性理論を最初に発表したのは、アインシュタインではない。
（B）アインシュタインが発表した理論の中で、一般相対性理論は最初の理論ではない。
（3）（A）地球では、月に面した海と反対側の海の両方が満ち潮になる。
（B）地球では、月に面していない海だけが、満ち潮になる。

このように、文の意味を明確にするには、読点を変えたり、語順を変えたり、言葉を補ったりすればよい。しかし、これには限界がある。どうしても1つの意味にしかとれない文を作ろうとすると長い文になって、かえってわかりづらくなることもある。その場合は、前後の文脈によって、読者に誤解を与えないようにするのがよい。つまり、前後の文に手伝ってもらって、意味を明確にするのだ。

一人ではできないことも、大勢の人が力を合わせれば、できる場合がある。文章も同じである。一文ではできないことも、たくさんの文が集まった文章なら、できる場合がある。

ただし、前後の文に手伝ってもらうのは、最後の手段と考えておく方がよい。わかりやすい文章とは、きちんと読まなくてもわかる文章だ。流し読みでもわかる文章だ。そのためには一つ一つの文が、その文だけで1通りの意味にしか読めないように書くことが大切だ。少なくとも、そういう文に少しでも近づける努力を放棄してはいけない。

3・11 音がきれいな文

文章では、意味が音に優先する。音がきれいで意味がわからない文より、音がきたなくて意味がわかる文の方がよい。しかし、意味がわかるのであれば、音もきれいな方がよい。実際に声を出して読む人は少ないだろうが、それでも音のきれいな文章の方が読みやすいはずだ。

ドイツの文豪であるゲーテの作品『ファウスト』は、声を出して読んだときに、とても美しいドイツ語で書かれているそうである。以前は『ファウスト』をすべて暗記していて、折にふれて暗唱するドイツ人もかなりいたらしい。

しかし、ここで述べる音は、『ファウスト』のような美しい音韻のことではない。読みにくくなければよいのである。

［例文3－6］

資料館だよりより頼朝の記事をさがした。

右の文章は（「頼朝」の「頼」も含めると）「より」が3回続くので読みにくい。こういう場合は「より」の代わりに「から」を使って、次のような文にした方がよい。

資料館だより**より**頼朝の記事をさがした。

←

資料館だより**から**頼朝の記事をさがした。

「より」と「から」のように、置き換えられる言葉はたくさんある。「のみ」と「だけ」や、「よい」と「いい」などだ。

ところが、ある人は、「より」「のみ」「よい」は話し言葉としてはほとんど使われないので、文章中でも使わない方がよいと言う。また別の人は、「から」「だけ」「いい」は書き言葉としてはくだけ過ぎているので、文章中では使わない方がよいと言う。

しかし、文章を書いていると、意味とは無関係に、音の都合で読みにくい表現がどうしても出てくる。先の例のように「より」が何度も続いたり、「すもももももももものうち」のように音が重なったりする場合だ（ちなみにスモモはモモ属でなくサクラ属なので、モモではない）。

こういうときには、使える単語が多い方が、文章をより自由に変えて読みやすくできる。あまりこだわらずに、可能なかぎりいろいろな言葉を使って、音の都合で読みにくい表現は避けるべきだ。

3・12 表記が統一された文

近代日本文学における名文として、幸田露伴の『五重塔』における、嵐の場面は名高い。五重塔とそれを造った大工に激しい暴風雨が襲いかかる、迫力にみちた描写が続くところだ。その嵐の夜に、大工（十兵衛）が五重塔に登る場面は、こんな感じである。

「上りつめたる第五層の戸を押明（おしあ）けて今しもぬつと十兵衛半身あらはせば、礫（こいし）を投ぐるが如き暴雨の眼も明けさせず面（おもて）を打ち、一ツ残りし耳までも千切らむばかりに猛風の呼吸（いき）さへ為（さ）せず吹きかくるに、思はず一足退きしが屈せず奮つて立出でつ、欄を摑むで屹と睨めば天は五月の闇より黒く、ただ囂々たる風の音のみ宇宙に満ちて物騒がしく、さしも堅固の塔なれど虚空に高く聳えたれば、どうどうどつと風の来る度ゆらめき動きて、荒浪の上に揉まるる棚無し小舟のあはや傾覆らむ風情……」（『五重塔』幸田露伴、岩波文庫）［網掛け部分は原文の表記と異なります］

この『五重塔』を書いたころの露伴に、こんなエピソードがある。

露伴が自宅で、部屋のとびらを釘付けして中に閉じこもっているという。それを聞いて心配した森鷗外ら3人が、とびらを無理やりこじ開けて中に入った。露伴に理由を聞くと、こんなふうに答えた。「向島へ花見に出かけたら、風船売がいて、その風船玉が、風にふらふら揺れている。それを見たら、急に世の中が味気なくなって、生きているのが嫌になった」

幸田露伴（1867－1947）

露伴の部屋に行った3人のうちの1人は、後にこんなことを言っている。「あの頃の幸田の頭は、実際に少し変だった。『五重塔』の後ろの方の暴風雨のことのあたりは、半分気が狂っていて書いた。だからあんな破格な文章が出来たのだ」（『明治人物夜話』森銑三、岩波書店）

露伴の写真を見ると、とても厳格な人に見えるが、こういう自由奔放な文章も書いたのだ。こんな文章を書きたいものだと思うけれど、でも論理的な文章を書くときは、こういう激しい文章を書いてはいけない。もっと冷静にならなくてはいけない。論理的な文章を書くのは、けっこう地味な作業なのだ。そして、もっとも地味な作業の一つが、表記の統一だ（ちなみに、露伴の小説に論理がないと言っているわけではない。小説には、論理の他にプラスアルファがあり、場合によってはプラスアルファの部分がとても大きかったりする。一方、論理的な文章というのは、プラスアルファが小さい文章のことである）。

日本語の表記法は、比較的自由である。そのため、表記法が2つ以上あって、どれでもよいときがある。しかし、そういうときでも、1つの文章の中ではどれか1つに決めなくてはいけない。そして、その表記法で、最初から最後まで統一しなくてはいけない。

◎**句点の打ち方**

［例文3－7］
（1）「遅かったですね。何をしていたのですか。」
（2）「遅かったですね。何をしていたのですか」

句点（。）は文の終わりに打つ。しかし、会話であることを示す鉤括弧（かぎかっこ）（「　」）を使うときには、句点の打ち方に2つの流儀がある。鉤括弧を閉じる直前に、句点を打つ流儀（1）と、打たない流儀（2）だ。

昭和20年代に出された文部省案では、会話文の最後に句点を打つことが奨励されている。しかし、現在の公的な文章の多くでは、会話文の最後に句点を打たない。どちらでもかまわないけれど、文章を書くときは、どちらかに統一しなくてはならない。

ちなみに私は、会話文の最後には句点を打たない。その方が読みやすいと思うからだ。ほとんどの会話文は、鉤括弧を閉じるときに会話も終わる。したがって、もしも会話文の最後に句点を打つと、「新宿まで行きます。」のように、句点（。）と鉤括弧（」）が続くことが多くなる。これは読んでいて、少しわずらわしい。鉤括弧が閉じるときには、たいてい会話文も終わるのだから、鉤括弧があるだけで十分だ。句点は省略した方がすっきりする。

一方、会話文が終わらないのに鉤括弧を閉じる場合は、印があった方がよい。「でもさ……」のように点々をつければ、会話文が終わっていないことが示せる。つまり、よくあること（鉤括弧を閉じるときに会話文が終わる）には印（句点）をつけず、例外（鉤括弧を閉じるときに会話文が終わらない）にだけ印（点々）をつけるのだ。

ちなみに点々（…）は、2字分重ねて書く（……）ことがふつうである。3字分以上重ねる（………、…………）と名前が「点々」から「点線」に変わる。点線は、会話文で無言を表すときに使う。

◎**表記法のルール**

その他に、広く認められているルールもいくつかある。

（1）書名には、二重鉤括弧（『　』）を使う。

（例）『種の起源』

（2）鉤括弧の中で、さらに鉤括弧を使うときは、二重鉤括弧を使う。

（例）「さっき山田が『あの店はうまい』と言っていたよ」

（3）苗字と名前をカタカナで表すときは、それらの間に中黒（・）を入れる。

（例）アイザック・ニュートン

「アイザック」が名前で「ニュートン」が苗字。

（4）苗字や名前が複数の単語で表されるときは、それらの単語の間につなぎ（＝）を入れる。

（例）サイモン・コンウェイ＝モリス

「サイモン」が名前で「コンウェイ＝モリス」が苗字。

（5）言葉を列挙するときには、区切りに読点を入れる。一方、鉤括弧でくくられた言葉を列挙するときには、区切りに読点を入れない。

（例）チンパンジーよりヒトに近縁な生物を、人類、ヒト族、ホミニン、などと呼ぶ。

チンパンジーよりヒトに近縁な生物を、「人類」「ヒト族」「ホミニン」などと呼ぶ。

第4章　パラグラフ・ライティング

4・1 論理的な文章の基本

パブロ・ピカソは20世紀最大の画家の一人である。ピカソはキュビスムと呼ばれる芸術運動を始め、さまざまな角度から見た形を一つの画面に収める特徴的な絵を描いた。しかし、あまりに斬新な手法だったため、ピカソの絵を理解できない人もたくさんいた。そのため現在でも、以下のような意見が後を絶たない。

意見A：ピカソの絵なんて、どこがよいのかわからない。

意見B：ピカソはじつは絵が下手で、あんな変な絵しか描けないのではないか。

そういう私も、じつはピカソの絵のどこがすごいのか、よくわからない。だから、意見Aには反論できない。しかし、意見Bには反論できる。ピカソは変わった形しか描けないわけではない。初期には普通の絵を描いているし、形を正確にとらえたデッサンもたくさん描いている。ある美術愛好家は「人類史上もっとも多くのデッサンを描き、もっとも形を正確に描いた人はピカソだ」と言っていた。ピカソは絵が下手で変な絵を描いていたのではなく、正確に形を描く技術を身につけた上で、変わった形を描いていたのだ。

文章も似たようなものだ。論理的な文章にも、いろいろなものがある。研究費の申請書に書く文章と、新書などの一般書籍に書く文章は、かなり違う。しかし、どんな文章を書くにしても、基本となる書き方がある。基本となる書き方を身につければ、それを発展させていろいろな文章を書くことができる。その、基本となる書き方というのは、パラグラフ・ライティングだ。

もちろん、論理的な文章を、すべてパラグラフ・ライティングの方法で書かなくてはいけないわけではない。それについては第6章で述べる。しかし、申請書や報告書や論文など、いわゆる仕事で必要な文章は、すべてパラグラフ・ライティングの方法で書いた方がよい。それには歴史的な理由がある。

4・2　パラグラフ・ライティングの歴史

パラグラフ・ライティングはイギリスやアメリカで開発された方法だ。しかし、ヨーロッパやアメリカにおける伝統的なライティング法というわけではない。伝統的なライティング法といえば、ヨーロッパには古代ローマ時代から伝わる複雑なライティング法がある。それは特権階級の人々のあいだで受け継がれ、また学校でも教えられてきた。しかし、産業が発展し教育が拡大するにつれて、正統な英語が使えない移民もふくめて、誰にでも学べる簡単なライティング法が求められるようになった。そうした背景のもとに生まれたのがパラグラフ・ライティングだ。

今日のようなパラグラフ・ライティングの基礎が作られたのは、1860〜1880年ごろにスコットランドにあるアバディーン大学の教授であったアレクサンダー・ベインによるという。日本でいえば、だいたい明治のはじめごろのことである。このパラグラフが「段落」と訳されて日本に輸入されたのは意外に早く、すでに明治20年ごろには日本語の多くの文章で段落が使われるようになった。ちなみに、「段落」が国定教科書に載ったのは、少し遅れて明治36年だそうである。

このパラグラフ・ライティングが改良されて、現在のような形になったのは、第二次世界大戦後のアメリカだった。パラグラフ・ライティングの最大の特徴は、キーセンテンスをパラグラフの先頭に置くことだが、これが広く行われるようになったのもこのころらしい。この時期のアメリカでは、大学生が激増したため、学生の書く能力の低下が問題になっていた。その学力低下に対する対策として、もともと簡単な方法だったパラグラフ・ライティングが、さらに簡単な方法へと洗練されていったのである。

このように、学力が低下した大学生でもレポートや論文を書けるために作られたパラグラフ・ライティングは、すばらしい方法だ。申請書や報告書や論文など、いわゆる仕事で必要な文章には、最適なライティング法である。

4・3　パラグラフ・ライティングについての誤解

しかし、パラグラフ・ライティングは、日本ではあまり普及していない。日本語の文章における段落には、パラグラフのような一定の形式をもっているものは少ない。それはなぜだろうか。

ある人は、日本には論理的な文章を書く伝統がないからだという。外国のパラグラフの真似をして「段落」を日本語の文章に使うようになってから、まだ100年くらいしか経っていない。だから、まだ日本には、パラグラフ・ライティングが根付いていないのだというのである。

しかし、アメリカだって、現在のようなパラグラフ・ライティングができてから、まだ100年は経っていない。それでもかなり普及しているのだから、時間が経っていないとか、伝統がないとかいう理由は、説得力がないだろう。

また、ある人はこう言う。英語はSVO型の言語で、主語（S）の後にすぐ述語（V）が続く。一方、日本語はSOV型の言語で、文の要（かなめ）である述語（V）が文末にくる。こういう文の形は、日本人の考え方にも影響する。したがってパラグラフにおいても、キーセンテンスを最後にした方が書きやすい。パラグラフの先頭にキーセンテンスを置く形は、日本語では書きにくいのだと言う。

たしかに一つ一つの文の構造が、文章全体の構造に影響を与えることはあるかもしれない。しかしその場合でも、文の構造がそのまま文章の構造に等しくなるわけではない。一つ一つの文の構造が、全体の文章の構造と相似形になるという主張には、根拠がない。

日本語では、たしかにキーセンテンスを最後に置く場合がある。しかしそういうことは、日本語だけでなく英語にもある。たとえば、歴史上もっとも有名な演説の一つとされる、リンカーン大統領のゲティスバーグにおける演説（1863）では、「人民の人民による人民のための政治をこの地上から決してなくさない」というキーセンテンス（の一部）を演説の最後に置いている。もちろん、リンカーンの時代には、パラグラフ・ライティングという方法はなかった。しかし、あったとしても、やはりリンカーンはキーセンテンスを最後に置いたはずだ。

なぜキーセンテンスを最後に置いたのかというと、おそらくほとんどの聴衆は演説を最後まで聴くと、リンカーンは思ったからだ。たいていの演説や講演は、そういうものだろう。そして、最後まで聴いたり読んだりしてくれるなら、キーセンテンスは最後にある方がよいのである。

いろいろな情報や説明を聞いたり読んだりした後でキーセンテンスを読んだ方が、キーセンテンスの意味を正しく理解できる。しかも、最後に聞いたことは一番記憶に残りやすい。だからリンカーンは、キーセンテンスを最後に置いたのだ。ではなぜ、パラグラフ・ライティングでは、キーセンテンスを最初に置くのか。それをこれから説明していこう。

パラグラフ・ライティングは、ヨーロッパやアメリカの人がみんな使っている方法ではないし、論理的な文章を書いたり話したりするときに、いつも使っている方法でもない。あくまで限定された状況で力を発揮する方法にすぎない。大学生のレポートや仕事の文書では比類ない力を発揮するけれど、大統領の演説には不向きなのである。

4・4　パラグラフ・ライティングとはどういうものか

森鷗外が書いた小説に「舞姫」がある。「舞姫」は明治初期のヨーロッパや、異国に対する日本人の想い、そして若者の恋心などが描かれた典雅な作品だ。しかし、美しいだけでなく、人間の醜い面もさらけ出されているため、はるかな国の夢物語のようでもあり、そこら辺によくある身近な話のようでもあり、少し不思議な作品になっている。

そのあらすじは、「ドイツに留学した男が、現地で女性を妊娠させてから、彼女を捨てて帰国した」というものだ。ひどい話である。主人公は最低の男ではないか。なんでこんな話が名作と言われているのだろう。

「舞姫」が名作と言われる理由を、一言で答えるのは難しい。しかし、はっきり言えることもある。それは、もしも「舞姫」という小説によいところがあったとしても（ちなみに私は「ある」

と思っているけれど）、それは原文を読まなければわからないということだ。

もしも原文を読んで、その内容に引き込まれれば、あなたは「舞姫」を読み終わるのが惜しくなるだろう。楽しい本や面白い本を読んでいると、まだ読んでいない後ろのページが減っていくのが、つらいものだ。

こういう文章には、パラグラフ・ライティングは不要である。なぜなら、読者は文章を読みたくて読んでいるからだ。しかし、文章の中には、読みたくない文章もある。読みたくないけれど、読まなくてはならない文章もある。そういうときに役に立つのが、パラグラフ・ライティングだ。

あなたは学校の先生に宿題を出された。明日までに「舞姫」を読んできなさいと言われた。でも、あなたは小説なんて大嫌いだ。だけど、宿題だから読まなくてはならない。どうしよう。いやなことをする時間は一秒でも短くしたい。そうだ、あらすじを読んでいけばいい。それなら、「舞姫」について質問されても答えられるだろう。

パラグラフ・ライティングの精神は、この「あらすじ」に近い。あらすじなんか読んだって楽しくもなんともない。だけど、あらすじにはよいことがある。それは短時間で内容が掴めることだ。

だから、究極のあらすじは、読まなくても内容がすべてわかるあらすじだ。それなら、読む時間はゼロなので、最高のあらすじと言ってよい。まあ、それは無理だとしても、読む時間は短ければ短いほどよい。読みたくない文章をなるべく短い時間で読めて、しかも内容がきちんとわかる文章を書く技術、それがパラグラフ・ライティングなのである。

必要なことを書き、不必要なことは書かない。読まなくてもよいところは、飛ばし読みができるように工夫しておく。また、短い時間で理解するためには、文章が論理的で、わかりやすくなければならない。そして何よりも、誰でもパラグラフ・ライティングが学べるように、パラグラフ・ライティングのルールは簡単でなければならない。何しろ、きちんとした文章が書けないアメリカの大学生などのために、簡単に論理的な文章を書けるように改良された技術がパラグラフ・ライティングなのだから、手軽に学べなくては意味がないのである。

４・５　パラグラフ・ライティングのルール❶

それでは、パラグラフ・ライティングの方法を説明していこう。

パラグラフ・ライティングでは文章を、段落を積み重ねながら書いていく。ちなみに日本語では、段落の最初の文は、１字下げて始めるのが普通である。そして、このとき何よりも大事なことは、１つの段落では１つのトピックだけを述べることだ。

このような、パラグラフ・ライティングにおける段落を、パラグラフと言う。もっとも「段落」という言葉は、もともとは「パラグラフ」の訳語としてつくられたものなので、本来は同じ意味のはずだ。しかし、本書では、パラグラフ・ライティングにおける段落を「パラグラフ」と呼び、その他の場合を「段落」と呼んで区別することにする。

さて、パラグラフの基本は、次の3つだ。

［ルール1］ 1つのパラグラフでは、1つのトピックだけを述べる。
［ルール2］ 1つのパラグラフは、1つのキーセンテンスと複数のサブセンテンスから成る。
［ルール3］ キーセンテンスはパラグラフの最初に置く。

ルール1から見ていこう。パラグラフは、1つのトピックを説明した文の集まりだ。つまり、内容的にまとまった文が集まったものだ。2つのトピックを1つのパラグラフに入れてはいけないし、1つのトピックを2つのパラグラフに分けてもいけない。パラグラフの長さに決まりはないが、だいたい4〜8文ぐらいが多いようだ。

次の例文4・5・1は6つの文から成るパラグラフである。これらの文の中に1つだけ、このパラグラフのトピックから外れた文がある。それはどの文だろうか。

［例文4・5・1］

(1)雲が落ちてこないのには理由がある。(2)雲は小さな水滴や氷の粒からできている。(3)雲にさまざまな種類があるのは、形成される高度や温度が違うからである。(4)しかし、水滴や氷の粒はとても小さいので、落ちる速度は遅く、秒速1センチメートルぐらいだ。(5)しかも、それらは、地上に着く前に蒸発してしまう。(6)そのため人間の目には、雲が落ちてくるようには見えないのである。

例文4・5・1のトピックは「雲が落ちてこない理由」だ。この文章を読むと、その理由は2つで、落下速度が遅いことと、地上に着く前に蒸発することだとわかる。

しかし、（3）の文は、雲にさまざまな種類があることを説明しており、「雲が落ちてこない理由」というトピックからは外れている。したがって、答えは（3）だ。こういうトピックから外れた文を、パラグラフの中に入れてはいけない。

トピックから外れたことを書かないのは、当たり前に思えるかもしれない。でも、これがなかなか難しいのだ。

面白いことや意外なことを知ると、誰でも人に話したくなる。文章も同じで、つい書きたくなることとって、あるのだ。でも、どんなに書きたくても、それがトピックから外れていたら、書いてはいけない。ストイックにならないと、パラグラフ・ライティングは実行できない。

次は、ルール2とルール3を見ていこう。

キーセンテンスは、そのパラグラフの内容を要約した文である。次の例文4・5・2は、3つのパラグラフから成る文章である。それぞれのパラグラフは、1つのキーセンテンスとその他のサブセンテンスからできている。キーセンテンス〈(1)と(3)と(7)〉は、それぞれのパラグラフの最初に置かれている。

[例文4・5・2]

(1)生物の進化では、収斂（しゅうれん）進化と呼ばれる現象がしばしば起こる。(2)収斂進化とは、系統の異なる生物が似た形質を進化させることである。

(3)たとえば、イルカとサメは収斂進化の例だ。(4)イルカは哺乳類だがサメは魚類なので、系統はまったく異なる。(5)しかし、流線形の体の形はそっくりだ。(6)おそらく水中を高速で泳ぐためには、こういう形になるしかないのだろう。

(7)また、カマキリとカマキリモドキも、収斂進化の例である。(8)昆虫は30ぐらいの目（もく）というグループに分けられるが、カマキリはカマキリ目で、カマキリモドキはアミメカゲロウ目だ。(9)しかし、カマキリモドキの前半身はカマキリにそっくりである。(10)頭部はカマキリのように三角形で、大きい眼があり、鎌のような前肢を使って獲物を捕まえるのだ。

キーセンテンスをパラグラフの最初に置く理由は2つある。1つは、文章を理解しやすくするためだ。

推理小説を読むときに、前もって犯人が誰かわかっていたら面白くない。面白くはないけれど、細かいところまで理解しやすくなる。犯罪にいたる伏線や犯人のちょっとした言葉など、つい読み流してしまいそうなところに注意しながら、読むことができるからだ。

パラグラフ・ライティングは、最初のページに犯人が誰か書いてある推理小説のようなものだ。最初に読者の頭の中に、目的地や全体の地図を作ってもらえば、スタートからゴールまで、きちんと理解しながら、迷わずに歩くことができる。そのために、キーセンテンスをパラグラフの最初に置くのである。

キーセンテンスをパラグラフの最初に置く理由の2つ目は、飛ばし読みができるようにするためだ。

たとえば、最初のパラグラフのキーセンテンス「(1)生物の進化では、収斂（しゅうれん）進化と呼ばれる現象がしばしば起こる。」を読んで、収斂進化に興味を持ったとする。その場合は、キーセンテンスに続くサブセンテンスも読めばよい。

それから、2番目のパラグラフのキーセンテンス「(3)たとえば、イルカとサメは収斂進化の例だ。」を読む。そして、「そんなことは知ってるよ」と思ったら、サブセンテンスは飛ばして、3番目のパラグラフのキーセンテンスに進めばよいのである。

このようにパラグラフ・ライティングでは、キーセンテンスを読むだけで大まかな内容がわかるようになっている。たとえば、この例文4・5・2で、キーセンテンスだけをつなげると、次のようになる。

(1)生物の進化では、収斂進化と呼ばれる現象がしばしば起こる。(3)たとえば、イルカとサメは収斂進化の例だ。(7)また、カマキリとカマキリモドキも、収斂進化の例である。

このように、パラグラフ・ライティングでは、キーセンテンスだけをつなげて読むことが多い。そのため、キーセンテンスを書くときは、直前のパラグラフの最後の文につなげるのではなく、直前のパラグラフのキーセンテンスにつなげるつもりで書くとよい。

[ルール4] キーセンテンスは直前のパラグラフの最後の文につなげるのではなく、直前のパラグラフのキーセンテンスにつなげる。

　ここで、つい忘れがちだが大切なことがある。キーセンテンスを読んで、そのパラグラフのサブセンテンスを読むか読まないか判断できるためには、それぞれのパラグラフのサブセンテンスが、それぞれのパラグラフのキーセンテンスとだけ論理的につながっていなくてはならない。前後のパラグラフのキーセンテンスとつながっていてはいけないのだ。

　たとえば、ある読者はイルカの収斂には興味がないが、カマキリの収斂には興味があるとしよう。そういう読者が、例文4・5・2を読んだとする。そして、第2パラグラフのキーセンテンスを読んで、このパラグラフがイルカの収斂について書いてあることを知れば、残りのサブセンテンスは読まずに、次の第3パラグラフへと進んでいくだろう。なぜなら読者は、第2パラグラフのサブセンテンスには、イルカのことしか書かれていないと考えたからだ。それなのに、もしもカマキリのことも書かれていたら、読者は興味のあるカマキリの情報を読み飛ばしてしまうことになる。そんな文章では、安心してサブセンテンスを読み飛ばすことができなくなってしまう。

［ルール5］　サブセンテンスは、前後のパラグラフのキーセンテンスではなく、そのパラグラフのキーセンテンスだけにつなげる。

4・6　パラグラフ・ライティングのルール❷

パラグラフの中の文は、キーセンテンスとサブセンテンスに分けられることを述べた。同じように文章全体の中のパラグラフも、キーパラグラフとサブパラグラフに分けることができる【図4－1】。

［**ルール6**］　1つの文章は、1つのキーパラグラフと複数のサブパラグラフから成る。
［**ルール7**］　キーパラグラフは文章の最初に置く。

キーセンテンスとサブセンテンスを合わせて1つのパラグラフにするが、そういうパラグラフが複数あるときには、最初のパラグラフをキーパラグラフにして、残りをサブパラグラフにする。

キーパラグラフやサブパラグラフの役割は、キーセンテンスやサブセンテンスの役割と同じである。キーパラグラフは文章全体を要約したものだ。キーパラグラフだけを読めば、残りの文章を読むべきか、あるいは読まなくてもよいかを判断できる。読むと決めた場合は、サブパラグラフに進むことになる。そして、サブパラグラフの先頭にあるキーセンテンスを読んで、そのパラ

【図4－1】

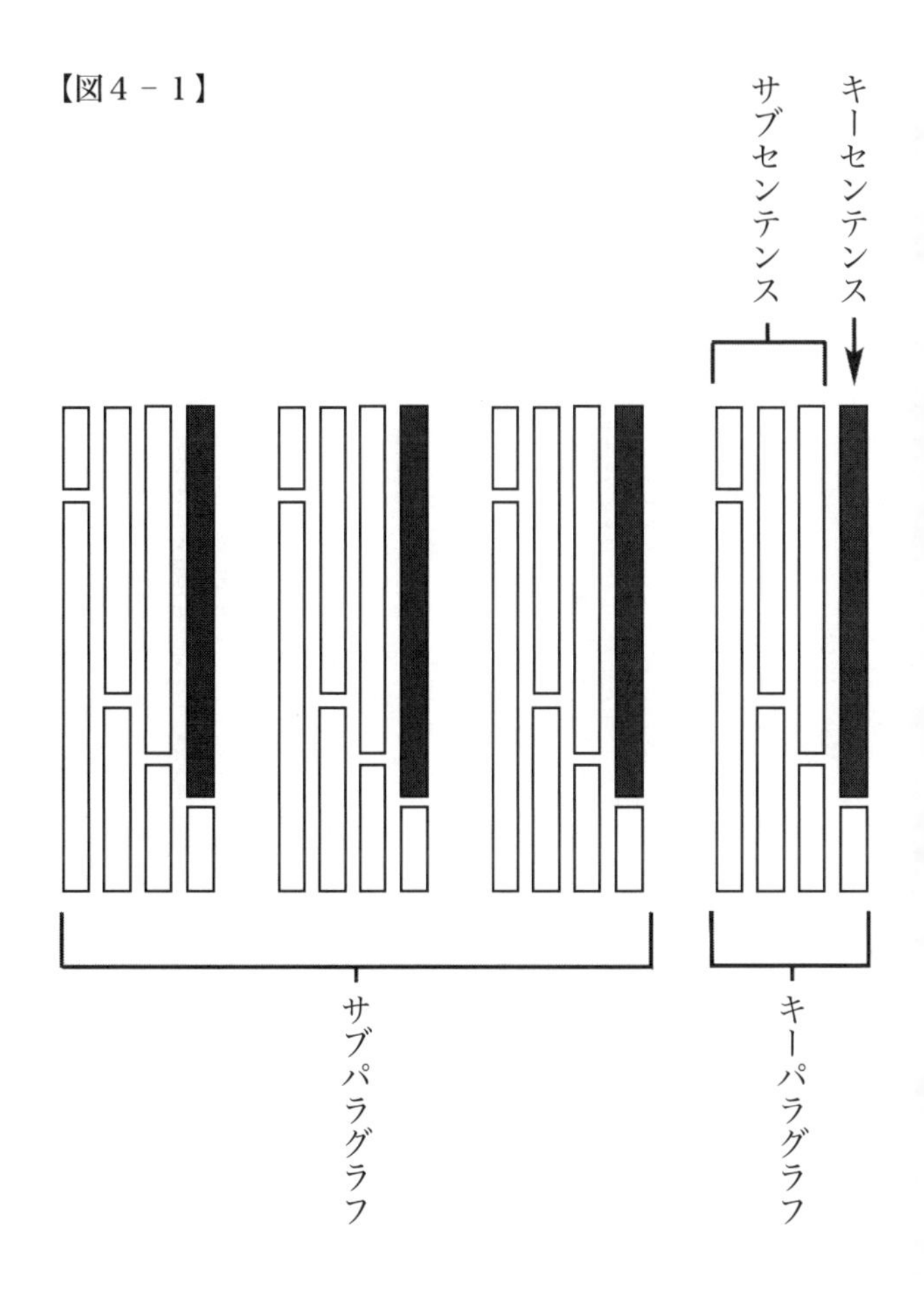

グラフのサブセンテンスを読むか読まないかを判断しながら、文章を読んでいけばよいのである。

文章が長い場合は、階層構造にすることもできる。文章全体をいくつかの章に分けて、それぞれの章の中にキーパラグラフやサブパラグラフを作るのである【図4－2】。

【図4－2】

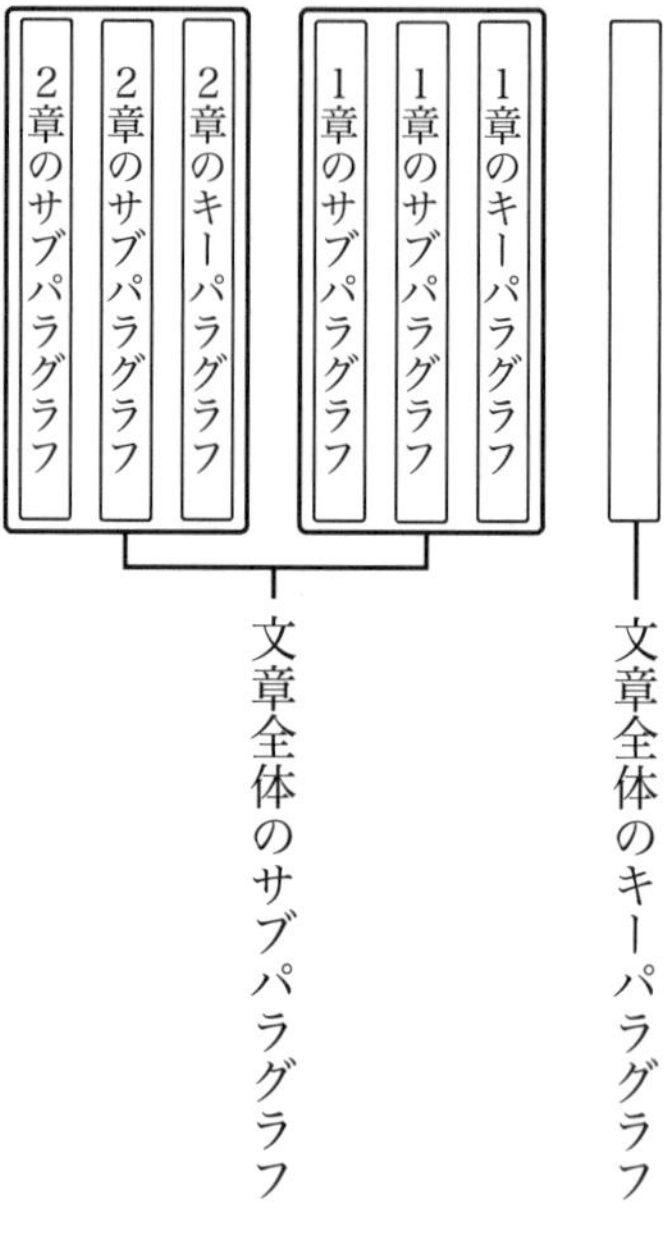

文章全体のキーパラグラフ

1章のキーパラグラフ
1章のサブパラグラフ
1章のサブパラグラフ

2章のキーパラグラフ
2章のサブパラグラフ
2章のサブパラグラフ

文章全体のサブパラグラフ

さて、キーパラグラフの役割はキーセンテンスと同じだと述べたが、キーパラグラフの構造は、他のパラグラフとは異なる場合がある。

［例文4・6・1］

(1)一般には、父親の身長が高いと息子の身長も高い傾向がある。(2)しかし、身長が非常に高い父親の息子は、それほど身長が高くない傾向がある。(3)同様に、身長が非常に低い父親の息子は、それほど身長が低くない傾向がある。(4)これは「平均への回帰」と呼ばれる現象である。(5)平均への回帰は、2回試験を受けた場合にも起きる。(6)1回目の試験で高得点を取った受験生だけを集めて、2回目の試験を受けさせる。(7)すると、その結果は、1回目の試験より低くなる傾向がある。(8)なぜなら、1回目の試験でたまたま高得点を取った受験生が含まれているからだ。(9)また、オリンピックの出場選手の選考でも、平均への回帰が起きる。(10)最終選考会で成績が良かった選手が選ばれるため、本番のオリンピックでは、最終選考会ほどは成績が伸びない傾向があるのだ。(11)オリンピックで成績が伸びないと「本番に弱い」と言われることがあるが、平均への回帰という現象があることも認識する必要がある。

この例文4・6・1は、3つのパラグラフからなる。第1パラグラフがキーパラグラフで、第

2パラグラフと第3パラグラフがサブパラグラフである。2つのサブパラグラフでは、それぞれ最初の文〈(5)と(9)〉がキーセンテンスになっている。しかし、第1パラグラフでは、そうなっていない。

第1パラグラフのキーセンテンスは最後の文(4)だ。この文章は「平均への回帰」という現象について述べた文なので、そのことがわかる文を最初に置けばよさそうに思える。たとえば、(4)を少し変えて、「平均への回帰として知られる現象がある。」という文をパラグラフの最初に置けば、よさそうに思える。どうして、そうなっていないのだろう。

それは「平均への回帰」という言葉が、あまり知られていない言葉だからだ。キーセンテンスの役割は、パラグラフの大まかな内容を読者に伝え、そのパラグラフを読むか読まないかを読者に判断できるようにすることだ。しかし、キーセンテンスに読者が知らない言葉があれば、パラグラフの内容が伝わらないので、読者はそのパラグラフを読むか読まないかを判断できない。それではキーセンテンスとしての役割が果たせない。

そういう場合は仕方がないので、まず言葉の説明をしなくてはならない。そして、言葉の説明が終わった時点で、やっとキーセンテンスが書けることになる。そのため、キーパラグラフだけは、ルール3(キーセンテンスはパラグラフの最初に置く)の例外となる場合がある。

とはいえ、キーパラグラフは文章の最初にある大切なパラグラフである。この大切なパラグラフで、キーセンテンスが最初にないのは、やはり困る。だから、キーパラグラフでも、可能なかぎりキーセンテンスは最初に置くべきだ。さきほどの「平均への回帰」の場合でも、読者がこの言葉を知っている専門家なら、当然キーセンテンスを最初に置くべきだろう。

それでも、どうしてもキーセンテンスを最初に置けないときはどうするか。その場合は、キーパラグラフをできるだけ短くするしかない。たとえ最初の文でなくても、3番目か4番目の文がキーセンテンスなら、読者が読んでくれる可能性が高い。しかし、10番目や20番目の文章がキーセンテンスなら、読者はキーセンテンスに辿り着く前に、読むのをやめてしまうだろう。目安としては、キーパラグラフは10秒以内で読めることが望ましい。字数としてはせいぜい150字ぐらいだろう。

［ルール8］　キーパラグラフは短くする。

［ルール9］　場合によっては、キーパラグラフのキーセンテンスは、パラグラフの最初でなくてもよく、キーセンテンス自体がなくてもよい。

4・7　パラグラフ・ライティングのルール❸

ルール9は、ルールと呼ぶには少し歯切れが悪い。でも、これは仕方のないことだ。パラグラフ・ライティングで一番難しいのは、キーパラグラフの書き方なのだ。キーパラグラフの最初にキーセンテンスを置けるときはよいけれど、それができないときもある。でも、そういうときのために、別のうまい方法がある。

キーパラグラフが文章全体の要約になっており、かつキーセンテンスがそれぞれのパラグラフの要約になっているとすれば、すべてのキーセンテンスの内容を合わせれば、だいたいキーパラグラフの内容になるはずだ。そのため、キーパラグラフの内容とそれぞれのキーセンテンスの内容を対応させておくと、とてもわかりやすい文章になるのである【図4－3】。

［ルール10］　場合によっては、キーパラグラフの内容と、サブパラグラフのキーセンテンスの内容を対応させるのもよい。

さて、次の例文4・7・1で、ルール10を確認しておこう。例文4・7・1は4つのパラグラフから成る文章で、最初のパラグラフがキーパラグラフになっている。

［例文4・7・1］

⑴もし地球の歴史が変わったら、人類より先に、知的生命体が進化した可能性が考えられている。⑵その候補は小型の恐竜だ。⑶しかし、その可能性は低いと考えられる。⑷人類以前に知的生命体が進化するという考えは、恐竜が絶滅しなかった場合を想定している。約6600万年前に直径が10キロメートルほどの隕石が地球に衝突した。それが引き金となって、恐竜は絶滅したらしい。ということは、もしも天体が衝突しなかったら、恐竜は絶滅しなかったかもしれない。その場合、人

【図4－3】

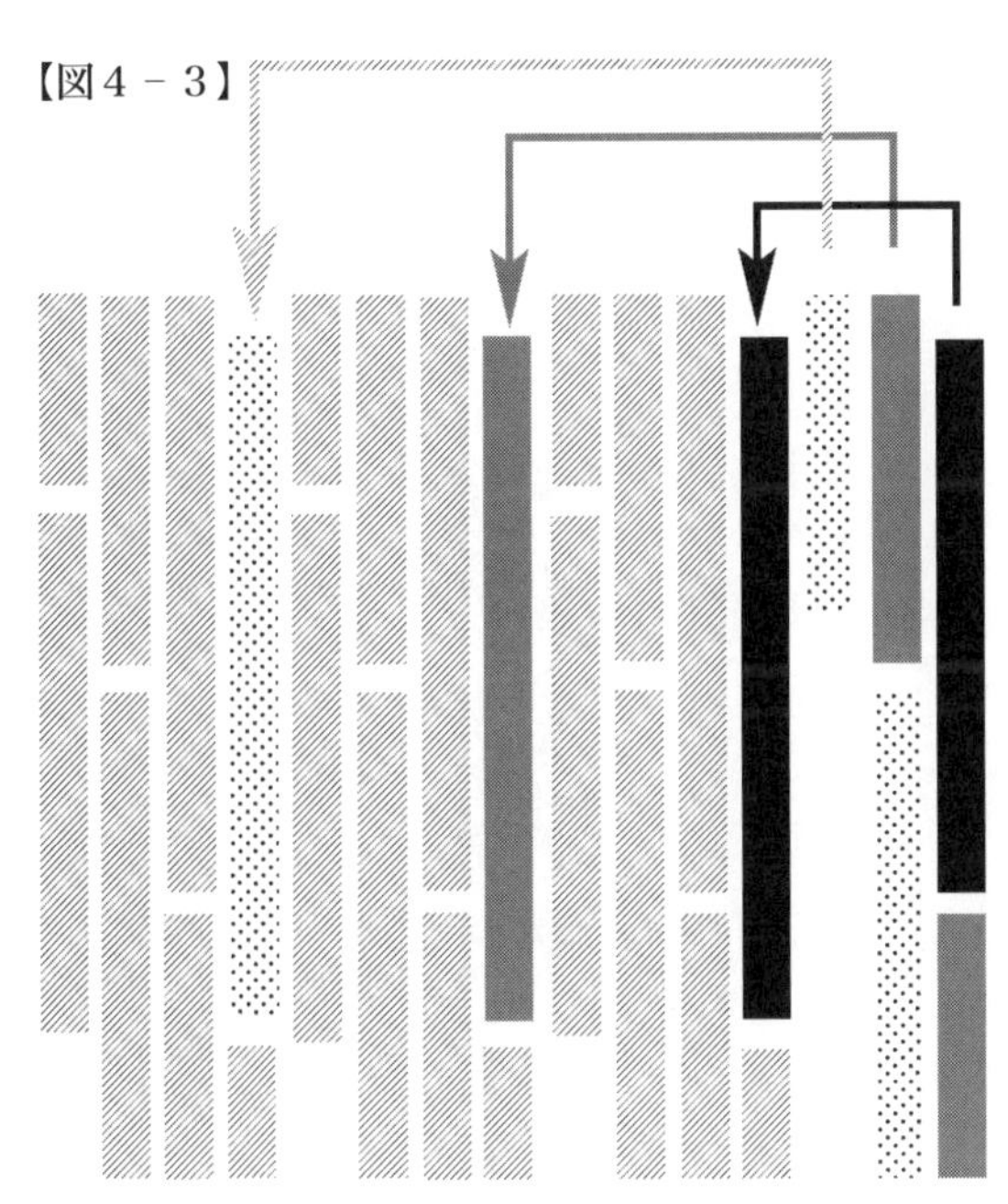

類よりも先に恐竜が、知的生命体に進化した可能性がある、というのである。

(5)候補となる種の一つが、高い知能を持っていたトロオドンという恐竜だ。トロオドンは体長約2メートルの小型の恐竜である。前肢の3本指のうちの1本が他の指と向き合っているため、おそらく物をつかめただろう。大きな眼が正面を向いていたので、立体視もできたはずだ。そして、脳も大きかった。現生のどの爬虫類よりも大きかった。そのためトロオドンは、恐竜の中でもっとも高い知能を持っていたと考えられている。

(6)しかし、トロオドンが絶滅しないで進化し続けても、脳はそれほど大きくならなかった可能性が高い。じつは正確にいうと、恐竜は絶滅していない。恐竜の子孫である鳥が、今も生きているからだ。トロオドンに似ている小型肉食恐竜から、鳥は進化したのである。つまり、比較的知能の高かった恐竜の仲間は、鳥として生き残ったのだ。しかし、それにもかかわらず、現在まで鳥から知的生命体は進化していないのである。

人生というものは、分かれ道の連続である。そのたびに私たちは、どちらかの道を選んで、今日まで生きてきた。だから、ときには過去を振り返り、

「もしもあのとき、違う道を選んでいれば……」

と、空想の翼を広げることもある。人生は一回しかないからだ。それと同じように、地球の歴

史についても空想の翼を広げた人がいた。カナダの古生物学者、デイル・ラッセルである。ラッセルは、もしも（鳥以外の）恐竜が絶滅しなかったら、どのような進化を遂げただろうかと考えた。そして、恐竜の中では大きな脳を持っていたトロオドンをモデルにして、高度な知能を持つように進化した恐竜人間を想像したのである【図4－4】。

さて、例文4・7・1のキーパラグラフは、3つの文から成っている。最初の文（1）は、「人類以前に知的生命体が進化するという考え」について述べており、これは第2パラグラフのキーセンテンス（4）に対応している。キーパラグラフの2番目の文は「その候補が小型の恐竜であること」を述べており、これは第3パラグラフのキーセンテンス（5）に対応している。キーパラグラフの3番目の文は「その可能性が低いこと」を述べており、これは第4パラグラフのキーセンテンス（6）に対応している。

こういう文章なら、読者はキーパラグラフを読み終わった時点で、これから読む文章全体の地図を、大まかに頭に描くことができる。次の曲がり角を曲がると何があるのか。それは全体の中で、どういう役割を果たしているのか。そういうことを予想しながら、読み進めていくことができるので、文章が理

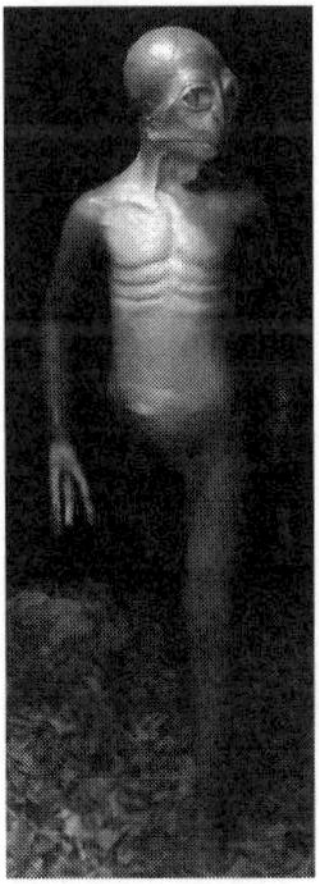

【図4－4】ラッセルの恐竜人間（Dinosauroid, Dale Russell, The Dinosaur Museum, Dorchester）

解しやすくなるのである。

私は遊園地のお化け屋敷が好きだ。次の曲がり角を曲がると何が出てくるのか。この恐怖は、いつまで続くのか。そういうことが、まったく予想できないからだ（ちゃちなお化け屋敷の場合は、予想できることもあるけれど）。

もしもお化け屋敷の入り口で地図を貰ったら、興ざめだ。この曲がり角を曲がると、悲鳴が聞こえます。次のポイントでは、血だらけの服を着た男が出てきて、あなたを追いかけます。そんなことがわかっていたら、全然面白くない。例文4・7・1だって、最初のパラグラフで、恐竜が知的生命体に進化する可能性が低いと言われてしまうのだから、興ざめだ。でも、パラグラフ・ライティングは、それでよいのである。

4・8　パラグラフ・ライティングの論理❶

パラグラフ・ライティングは、「論理的でわかりやすく、斜め読みもできる」文章を書く方法である。とはいえ、以上に述べた10個のルールを守れば、自動的に「論理的でわかりやすく、斜め読みもできる」文章が書けるわけではない。それでは、論理的な文章を書くには、どうしたらよいだろうか。

これまでに述べたパラグラフ・ライティングの10個のルールの中で、もっとも大事なものは以下の2つだ。

［ルール1］　1つのパラグラフでは、1つのトピックだけを述べる。
［ルール3］　キーセンテンスはパラグラフの最初に置く。

ルール1にしたがって、1つのパラグラフで1つのトピックしか述べなければ、それはわかりやすい文章になる。もし1つのパラグラフの中で、余計なトピックも述べられていれば、何を言いたいのかはっきりしない、わかりにくい文章になってしまう。だから、ルール1は、わかりやすい文章を書くためのルールだ。

ルール3にしたがって、キーセンテンスをパラグラフの最初に置けば、それは斜め読みができる文章になる。パラグラフの最初の文だけ拾い読みすれば、文章全体の内容がだいたいわかる。だから、ルール3は斜め読みできる文章を書くためのルールだ（ただしルール3には、読者の頭の中にあらかじめ地図を作って、文章をわかりやすくするという意味もある）。

それでは、論理的な文章を書くためのルールはどれだろうか。じつは、10個のルールの中には、そういうルールはないのである。

論理とは「主張と主張のつながり方」のことだ。もし主張が1つしかなければ、そこに論理はない。しかし、いくつかの主張がつながっていれば、そこに論理が生まれる。たとえば、非常に論理的な文章の例としては、34～35ページで挙げた「風が吹けば桶屋が儲かる」という話がある。それは次の、例文4・8・1のような話だった。

［例文4・8・1］

風が吹けば、土ぼこりが立つ。土ぼこりが立てば、失明する。失明した人は、三味線を買う。三味線が売れれば、ネコが減る。ネコが減ると、ネズミが増える。ネズミが増えれば、桶が壊れる。桶が壊れれば、桶が売れる。桶が売れれば、桶屋が儲かる。

論理的な文章では、文末に新しい情報（未知の情報）を置き、次の文の文頭でその情報（すでに既知になった情報）を受けるのが理想形の一つとされる。この例文4・8・1は、まさにその理想形である。たとえば、例文4・8・1の最初の部分は、こうなっている。

風が吹けば、土ぼこりが立つ。土ぼこりが立てば、失明する。失明した人は、……

未知 ——→ 既知　　未知 → 既知

つまり例文4・8・1は論理的な文章としては、ほぼ最高の域に達している。それでは、これを、パラグラフ・ライティングで書き直してみるとどうなるだろうか。

［例文4・8・2］

風が吹けば桶屋が儲かる、という話がある。まず、風が吹けば、土ぼこりが立つ。土ぼこりが立てば、失明する。失明した人は、三味線を買う。三味線が売れれば、ネコが減る。ネコが減ると、ネズミが増える。ネズミが増えれば、桶が壊れる。桶が壊れれば、桶が売れる。そして、桶が売れれば、桶屋が儲かるというのである。

例文4・8・2は、1つのパラグラフから成る文章である。最初のキーセンテンスで、「桶屋が儲かる」というゴールが、あらかじめ示されている。つまり、地図が示されている。だから、いったいどこへ連れていかれるのだろう、という不安感はない。その代わり、キーセンテンスを読んだだけで、大まかな道筋（この場合はゴール）がわかるのである。

さて、例文4・8・1も例文4・8・2も、論理的な文章である。つまり、この論理は、キーセンテンスを最初に置いたために生まれたものではない。キーセンテンスの後に続くサブセンテンスの力によって生まれたものなのだ。

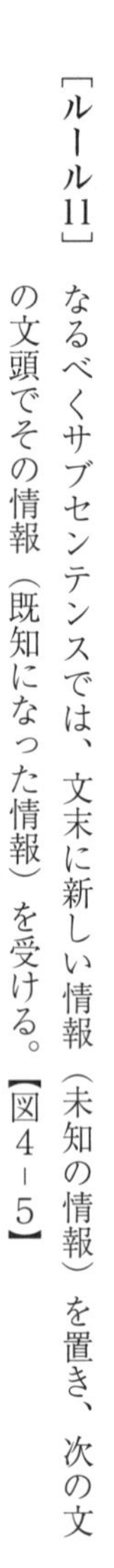

［ルール11］なるべくサブセンテンスでは、文末に新しい情報（未知の情報）を置き、次の文の文頭でその情報（既知になった情報）を受ける。【図4－5】

【図4－5】

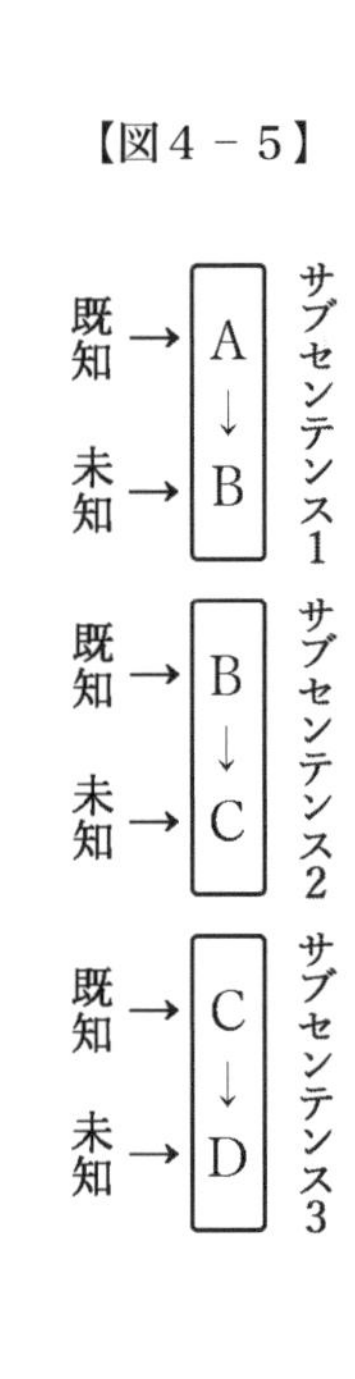

4・9　パラグラフ・ライティングの論理❷

パラグラフ・ライティングは、（1）わかりやすく、（2）斜め読みができて、（3）論理的な文章を書くための方法である。しかし、パラグラフ・ライティングのルールを守っただけでは、（1）わかりやすく、（2）斜め読みができる文章は書けるが、（3）論理的な文章は書けない。とはいえ、やはりパラグラフ・ライティングは、論理的な文章を書くために便利な方法だ。パラグラフ・ライティングの章の最後に、その点について考えてみよう。

以下の文章は、パラグラフ・ライティングのルールに従って書かれた、わかりやすくて、斜め読みができるが、しかし非論理的な文章である。非論理的なところは2つある。パラグラフ・ライティングでも非論理的な文章は書けるのだ。

［例文4・9・1］

（1）ラマルク説は復活した。獲得形質の遺伝が実証されたのだ。

（2）ラマルクは進化のメカニズムとして、用不用説を唱えた。用不用説というのは、親がある器官をよく使うと、その器官が発達して、その発達した器官が子の世代にも伝わるという説だ。たとえば、トレーニングによって筋肉が発達すると、その発達した筋肉が子にも伝わるという考えである。

（3）用不用説は、獲得形質が遺伝するという説の一つだ。ある生物が生きている間に獲得した形質が、子に遺伝するという説である。しかし、この獲得形質の遺伝は、20世紀の進化学では否定されることが多かった。

（4）21世紀になり、エピジェネティクスの研究が増加すると、獲得形質の遺伝が存在することは確実になった。細胞分裂後も受け継がれる変化の中で、ＤＮＡの塩基配列を伴わないものがエピジェネティクスだ。エピジェネティクスの代表的なものは、DNAのメチル化である。たとえば、セイヨウタンポポは、栄養状態が変化するとメチル化のパターンも変化する。そして、この変化は、子の世代にも伝わるのである。

(5) **獲得形質の遺伝が実証されて、ラマルクの説が正しいことがわかった。**進化学は、こうして発展していくのである。

パリ植物園の入り口には、ジャン＝バティスト・ラマルク(1744〜1829)の像がある。その台座には、ラマルクとその娘であるコルネリーのレリーフがあり、コルネリーがラマルクに言った言葉が刻まれている。

「後の世の人が称賛してくれますわ、恨みを晴らしてくれますとも、お父さま」(『ラマルク伝』イヴ・ドゥランジュ著、ベカエール直美訳、平凡社)

ラマルクは、科学者として不遇だった。当時のフランスの科学界で絶大な力を持っていたジョルジュ・キュビエ(1769〜1832)や、皇帝ナポレオン1世(1769〜1821)に嫌われたのが痛かった。

しかし、私はラマルクを尊敬している。さまざまな困難にもめげずに創造説を批判したり、進化論を主張したりしただけでなく、考え方も非常に科学的だ。もちろん、現在の目から見れば、間違ったことも言っている。でも、当時の科学水準を考えれば、それは仕方のないことだ。ラマルクは、早く生まれ過ぎたのだ。

さて、例文4・9・1は、5つのパラグラフから成る文章である。第1パラグラフがキーパラグラフで、第2～5パラグラフがサブパラグラフだ。そして、各サブパラグラフの第1文が、キーセンテンス（網掛け）になっている。

それぞれのサブパラグラフは1つのトピックについてだけ述べているし、キーセンテンスだけを読んでも話の流れがわかる。だから、例文4・9・1は、わかりやすくて斜め読みができる文章だ。しかし、論理的な文章ではない。

ラマルクが主張した用不用説は、獲得形質の遺伝説の一部である。用不用説の用は、使用の用だ。つまり、よく使用する器官が発達して、子に遺伝するというのである。

一方、現在実証されている獲得形質の遺伝は、栄養や温度などの環境要因を変化させることによって変化した形質の遺伝だ。獲得形質の遺伝の一部（環境要因的獲得形質の遺伝）は実証されたことになるが、それは用不用説（用不用的獲得形質の遺伝）ではない。用不用説は、実証されていないのだ。

私たちは、木を見て森を見たつもりになることが、よくある。たとえば、たまたま水曜日に車に乗っていたら、道が空いていた。そんなとき、私たちはつい、「どうして水曜日は道が空いているんだろう」と考えてしまう。でも、道が空いていることと水曜日であることは、関係ないかもしれない。月初めだから空いていたのかもしれないし、寒いから空いていたのかもしれない。

もちろん、一年ぐらいかけて、曜日と道の混雑度を調べれば、何かわかるかもしれない。でも、水曜日に1回道が空いていたからといって、他の水曜日にも道が空いているとは限らないのだ。

例文4・9・1は、用不用説と獲得形質の遺伝が混同されているため、論理の正しくない文章になっている。獲得形質の遺伝の一部が実証されたからといって、獲得形質の遺伝のすべてが実証されたわけではないのだ。ラマルクの説は、復活していないのである。

このように、パラグラフ・ライティングでも非論理的な文章は書ける。書けるけれど、やはりパラグラフ・ライティングで書いた方が、論理的な文章は書きやすい。それは、こういうわけだ。

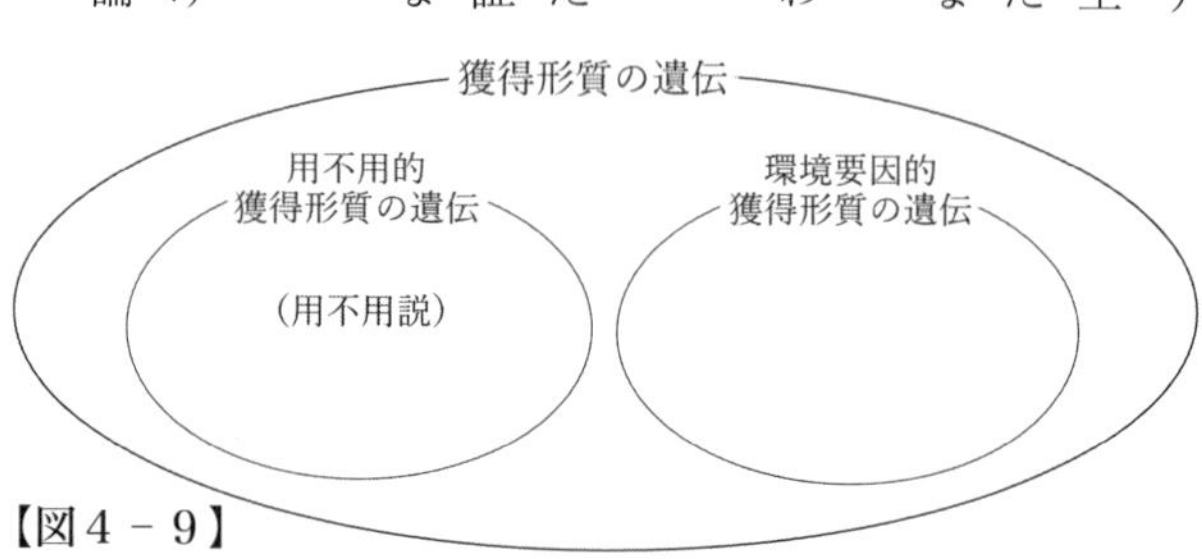

【図4－9】

論理というのは、主張と主張のつながり方のことである。1つの文が1つの主張をしているならば、論理というのは文と文のつながり方になる。一方、1つのパラグラフが1つの主張をしていれば、論理というのはパラグラフとパラグラフのつながり方になる。

ところが、パラグラフがはっきりと1つの主張をしていないと、段落のつなげ方が難しくなる。もちろん段落の中にいくつかの主張があっても、それらをきちんとつなげば論理的な文章になる。だから、パラグラフ・ライティングでなくとも、論理的な文章は書ける。しかし、1つのパラグラフで1つの主張をしていれば、パラグラフ同士をつなげるのが楽になるし、読んだときにも論理がわかりやすい。

論理的な文章を書くための方法は第2章で述べたが、一番大切なことは適切な接続表現を使って文やパラグラフをきちんとつないでいくことだ。そこに気をつけながら、パラグラフ・ライティングの11個のルールに従って文章を書けば、わかりやすくて、斜め読みができて、しかも論理的な文章が書ける。パラグラフ・ライティングにはさらに細かいルールもあるけれど、この11個のルールで十分だと私は思う。学ぶのが簡単なことも、パラグラフ・ライティングのよいところの一つなのだから。

パラグラフ・ライティング 11のルール

ルール1 1つのパラグラフでは、1つのトピックだけを述べる。

ルール2 1つのパラグラフは、1つのキーセンテンスと複数のサブセンテンスから成る。

ルール3 キーセンテンスはパラグラフの最初に置く。

ルール4 キーセンテンスは直前のパラグラフの最後の文につなげるのではなく、直前のパラグラフのキーセンテンスにつなげる。

ルール5 サブセンテンスは、前後のパラグラフのキーセンテンスではなく、そのパラグラフのキーセンテンスだけにつなげる。

ルール6 1つの文章は、1つのキーパラグラフと複数のサブパラグラフから成る。

ルール7 キーパラグラフは文章の最初に置く。

ルール8 キーパラグラフは短くする。

ルール9 場合によっては、キーパラグラフのキーセンテンスは、パラグラフの最初でなくてもよく、キーセンテンス自体がなくてもよい。

ルール10 場合によっては、キーパラグラフの内容と、サブパラグラフのキーセンテンスの内容を対応させるのもよい。

ルール11 なるべくサブセンテンスでは、文末に新しい情報（未知の情報）を置き、次の文の文頭でその情報（既知になった情報）を受ける。

第5章　科学ライティング

5・1　創造論者の考え

アメリカ合衆国にはかなりの数の創造論者（クリエーショニスト）がいて、生物は聖書に書いてある通りに、神（あるいは神に近いもの）によって創られたと考えている。生物は現在の形のまま創られたと考えているので、創造論者は進化論に反対している。

そんな創造論者の行っている活動の一つに、クリエーショニスト・ステッカーを貼ることがある。クリエーショニスト・ステッカーにはいろいろな種類があるが、その中の多くにはこんなことが書かれている。

「進化は理論（ｔｈｅｏｒｙ）であって、事実（ｆａｃｔ）ではない」

創造論者はクリエーショニスト・ステッカーを、パソコンなど自分の持ち物に貼ったり、学校や図書館においてある進化に関する本に貼ったりして「進化は理論であって、事実ではない」というメッセージを、社会に広く伝えたいようだ。

私は創造論者ではない。私は、生物は進化してきたと考えている。でも、進化は理論か事実かと訊かれたら、私は理論だと答える。進化は理論であって、事実ではないというのが私の意見だ。あれ？　私の意見は創造論者と同じではないか。どうしてだろう？

　仮に、この世の中に、完全に100パーセント正しい真理というものがあったとしよう。その場合、「進化論は真理ではない」と考えている点では、科学者も創造論者も同じである。進化論は科学における理論の一つであり、100パーセント正しい保証はないのだ。さらに言えば、科学における理論は、いくらがんばっても真理に到達することはできないのである。

　でも、真理に到達することができないなら、科学なんかやる意味がないのではないだろうか。たしかに、そういう考えもあるかもしれない。でも、私はそうは思わない。

　たとえば、車を運転して会社に行くとしよう。あなたは信号が赤になったので止まった。しばらくすると青になったので、左右を確認してから前に進んだ。でも、何でそんなことをするのだろう。だって信号を守ったって、100パーセント安全なんてことはないのだ。いくら交通ルールを完璧に守ったところで、決して100パーセントの安全が得られないのなら、守る意味なんかないのではないだろうか。

　でも、おそらくあなたは、信号を守って運転するだろう。交通ルールを守っても、たしかに100パーセントは安全にはならない。ならないけれど、かなり安全にはなるからだ。世の中は0か100かのどちらかだけではない。中間がたくさんあるのだ。病院に行ったたって100パーセント病気が治るわけではないから行かない。受験勉強をしたって100パーセント合格するわけではないから勉強しない。そういうわけには、なかなかいかないのである。

もし交通ルールを守るのに意味があるなら、科学にも意味があるだろう。科学の結果は完璧には正しくないけれど、かなり正しいと考えられるからだ。歴史を振り返れば、科学はかなり成功していると思われるからだ。その理由はおもに2つある。

1つは、収束と呼ばれる現象だ。収束とは、実験結果が揃うことを意味する。たとえば光速の測定は、さまざまな時期にさまざまな場所でさまざまな方法を使ってさまざまな人によって行われている。それにもかかわらず、それらの結果はだいたい同じ値になる。それを、偶然の一致で説明するのは難しい。光速という光の性質が実際に存在して、それを科学が明らかにすることに成功したと考えるのが自然だろう。

もう1つは、技術的応用の成功だ。理論による予測が的中すること、と言い換えてもよい。重力の理論を使えば、ロケットが月へ行って帰ってこられる。電磁気の理論を使えば、テレビが映る。これらは、重力や電磁気の理論が、実在する現象の解明に成功しているからと考えられる。

ここで「実在」という言葉を使ってしまったが、「現象が実在する」というのは、あくまで私の考えだ。科学が対象としている物事が実在するのかどうかについては、さまざまなタイプの哲学的意見がある。しかし本書では、「この世界は実在し、科学はそれについて知ることができる」という立場で考えていくことにする。「科学の成功は、真理への接近である」というイメージだ。でも、こういう意見は、（私の印象では）哲学の分野では少数意見のようだ。ちなみに、後で紹介する科学哲学者、カール・ポパー（１９０２～１９９４）は、科学にとって有益な考えを２つ提唱した（５・５、６、７節）けれど、そのポパーも「科学の成功は、真理への接近である」とは考えていない。

さて、話を戻そう。なぜ科学では、１００パーセント正しい結果が得られないのだろう。なぜ科学は真理に到達できないのだろう。科学には、なにか欠陥があるのだろうか。

５・２　科学の成果はすべて仮説

科学は人間のさまざまな活動の一つである。その科学には、大きな特徴がある。それは、「科学における成果はすべて仮説である」ということだ。科学に関する文章を書く（これを科学ライティングということにする）ときには、いつもその特徴を頭の片隅に置いておかなくてはいけない。

順番に考えていこう。19ページで述べたように、推論というのは「根拠と結論を含む一連の主張」のことであった。推論には、演繹と推測の2種類がある。演繹と推測の大きな違いは、演繹では１００パーセント正しい結論が得られるが、推測では１００パーセント正しい結論は決して得られないことだ。しかし、科学で重要なのは推測だ。

演繹の例としては、71ページで次の例を挙げた。

根拠：クジラは海に棲んでいる。
根拠：マッコウクジラはクジラだ。
結論：マッコウクジラは海に棲んでいる。

このような演繹では、根拠が正しければ、結論も完全に正しい。一方の推測では、根拠が正しくても、結論が完全に正しいとは言えない。この、完全に正しいとは言えない、推測における結論のことを「仮説」という。

さて推測には、帰納、類比、アブダクションなどがある。帰納とは、多くの個別の例から一般的な法則を導く方法だ。

［帰納の例］

根拠：神経細胞には核がある。
根拠：グリア細胞には核がある。

根拠：角質細胞には核がある。
結論：すべての細胞には核がある。
（あるいは、多くの個別の例から別の1個の特徴を導く場合もある。たとえば、「結論：肝細胞にも核がある。」のような場合だ）

類比とは、2つの事柄のあいだで、ある特徴が似ているとき、別の特徴も似ていると考える方法だ。病気の研究などで、ヒトの代わりに他の動物を使う動物実験は、この類比の例である。

［類比の例］
根拠：万有引力の強さは距離の2乗に反比例する。
結論：クーロン力の強さは距離の2乗に反比例する。

これらの帰納、類比は、科学でしばしば使われ、それらの結論は科学における仮説となる。しかし、科学においてもっとも重要なのはアブダクションなので、それについて少しくわしく考えてみよう。

アブダクションは、「ある事柄をうまく説明してくれる仮説があり、その他に有力な仮説がない場合に、その仮説はおそらく正しい」とする推測である。「仮説形成」や「仮説推論」と訳されることもある。しかし、アブダクション以外の推測、たとえば帰納や類比でも仮説を作ることができる。そのため、アブダクションを「仮説形成」や「仮説推論」と訳すと、帰納や類比とまぎらわしい。また、「最良の説明への推論」と言われることもある。これは内容的にはよいのだが、少し長い。ということで、ここでは「アブダクション」を使うことにする。そして「仮説形成」にはアブダクションの他に、帰納や類比も含めることにする（つまり、どんな推測によっても仮説は立てられるということだ）。

推論
- **演繹**
- **推測（仮説形成）**
  - **・帰納**
  - **・類比**
  - **・アブダクション**

さて、あなたは「イルカにはヒレがある」ことを（暗黙の前提として）知っているとしよう。そのうえで、あなたは「スナメリにはヒレがある」ことを観察した。

もし、スナメリがイルカの一種なら、ヒレがあって当然である。だから、スナメリがイルカの一種であることは、ありそうな話である（少なくとも、おかしな話ではない）。そこであなたは、「スナメリはイルカである」という仮説を立てた。

イルカにはヒレがある。**（暗黙の前提）**
スナメリにはヒレがある。**（根拠）**
↓スナメリはイルカである。**（仮説）**

つまりあなたは、アブダクションによって、根拠をうまく説明してくれる仮説を立てたのだ。

根拠（スナメリにはヒレがある）
←アブダクション
仮説（スナメリはイルカである）

ところで、「根拠をうまく説明してくれる仮説を立てた」ということは、「スナメリはイルカである」という仮説が（暗黙の前提としてイルカにはヒレがあるので）、「スナメリにはヒレがある」という根拠をうまく説明できるということである。

スナメリ

スナメリはイルカである。**（仮説）**
イルカにはヒレがある。**（暗黙の前提）**
↓スナメリにはヒレがある。**（根拠）**

今、「説明」という言葉を使ったが、「説明」とは何だろうか。「スナメリはイルカである」という仮説が「スナメリにはヒレがある」という根拠を説明するというのは、「スナメリはイルカである」が正しければ「スナメリにはヒレがある」も必ず正しいということだ（暗黙の前提は当然正しいとする）。つまり、「説明」するとは「演繹」することなのだ。

根拠（スナメリにはヒレがある）
アブダクション↑↓説明（＝演繹）
仮説（スナメリはイルカである）

さて、41ページで「逆・裏・対偶」について説明した。そのときに、元の主張が正しければ、「対偶」は必ず正しくなるけれど、「逆」や「裏」は正しいとは限らないと述べた【逆・裏・対偶の関係図】。

スナメリの例では、仮説が根拠をうまく説明（＝演繹）できるように、根拠から仮説を立てた

（＝アブダクション）のだから、説明（＝演繹）とアブダクションは「逆」の関係になっている。つまり、「スナメリがイルカなら、スナメリにはヒレがある」という説明（＝演繹）と「スナメリにはヒレがあるので、スナメリはイルカである」という仮説は「逆」の関係になっている。ここで、説明（＝演繹）は完全に正しいのだから、その「逆」である仮説は完全に正しいとは言えない。

つまり、根拠をうまく説明するように仮説を立てるかぎり、つまりアブダクションで仮説を立てるかぎり、いくらがんばっても100パーセント正しい仮説を作ることはできないのである。そしてこれは、アブダクション以外の推測、つまり帰納、類比で作った仮説でも同じである。

今までに観察した100羽のカラスは、すべて黒かった。だから「すべてのカラスは黒い」という仮説を立てるのが帰納だ。しかし、今までに観察した100羽のカラスがすべて黒かったからといって、101羽目のカラスも黒いという保証はない。101羽目のカラスは白いかもしれない（実際に白いカラスはいる）。もし、101羽目のカラスが白ければ、帰納で立てた「すべてのカラスは黒い」という仮説は、間違いということになる。

白いカラス（アルビノ）
(photo: iStock)

類比の例としては、以下のようなものがある。カラスは翼があって飛べる。そこから、ダチョウにも翼があるので、「ダチョウは飛べる」という仮説を立てるのが類比だ。しかし、ダチョウは翼があっても飛べないので、この仮説は正しくない。

このように、どの推測で立てた仮説も、100パーセント正しいとは言えないのである。

5・3　仮説の検証

科学では、仮説を立てたら、次はその仮説が正しいかどうかを確かめるのが、通常の手順である。ところで、仮説が正しいかどうかを確かめることに関する言葉（検証など）には、複数の使われ方があって、まぎらわしい。そこで、本書では以下のような意味で使うことにする。

検証：仮説の真偽を確かめるために、観察や実験などを行うこと。
実証：検証の結果、仮説を支持する結果がでること。
反証：検証の結果、仮説を支持しない結果がでること。

さて、仮説を作る段階では、完全に正しい仮説はできなかったけれど、仮説を検証することによって、仮説を完全に正しいと証明することはできるだろうか。

それでは、仮説の検証について考えてみよう。仮説を検証する第一歩としては、根拠として使った事柄とは別の事柄を、仮説から予測することが多い。そして、それが事実かどうかを確かめるのだ。

具体的に、さきほどアブダクションで立てた仮説「スナメリはイルカである」を検証してみよう。たとえば、あなたは「イルカは水中に棲んでいる」ことを（暗黙の前提として）知っているとする。そこで、あなたは「スナメリは水中に棲んでいる」という新しい事柄を予測した。

スナメリはイルカである。**（仮説）**
イルカは水中に棲んでいる。**（暗黙の前提）**
↓
スナメリは水中に棲んでいる。**（新しい事柄）**

あなたは、この新しい事柄をどうやって予測したのかというと、仮説によってうまく説明（＝演繹）できる事柄を、探して見つけてきたのである。「スナメリはイルカである」という仮説は（暗黙の前提としてイルカは水中に棲んでいるので）「スナメリは水中に棲んでいる」という新しい事柄をうまく説明（＝演繹）できるのである。つまり予測するとは、仮説から演繹できる新しい事柄を見つけることだ。

根拠（スナメリにはヒレがある）
アブダクション↓↑説明（＝演繹）
仮説（スナメリはイルカである）
↓予測（＝演繹）
新しい事柄（スナメリは水中に棲んでいる）

さて、新しい事柄を予測したら、次は、新しい事柄が事実かどうかを確かめなくてはならない。観察や実験によって、新しい事柄が事実かどうかを確認するのである。

あなたはスナメリを観察して、「スナメリは水中に棲んでいる」ことが事実だと確認したとする。つまり、新しい事柄が事実であることが確認されたので、仮説は検証された結果、実証されたことになる。

根拠（スナメリにはヒレがある）
アブダクション ↑↓ 説明（＝演繹）
仮説（スナメリはイルカである）
実証 ↑↓ 予測（＝演繹）
新しい事柄（スナメリは水中に棲んでいる）

仮説からうまく説明できるように、新しい事柄を予測（＝演繹）して、それから新しい事柄が事実であると確認して、仮説を実証した。つまり、仮説から新しい事柄を予測（＝演繹）するのと、新しい事柄から仮説を実証するのは、「逆」の関係になる。つまり、実証は演繹の逆をしていることになり、必ず正しいとは言えないことになる。したがって、いくらがんばって仮説を実証しても、仮説が１００パーセント正しいと保証することはできないのである。

科学の正しさというのは、仮説の正しさのことである。右の図を見ると、仮説に向かう矢印は、アブダクションと実証だ。つまり仮説の正しさを保証しているのは、アブダクションと実証なのだ。

ところが、アブダクションも実証も、論理の向きが演繹とは反対になっている。つまり、演繹の「逆」になっている。そして、演繹の「逆」は必ずしも正しくない。

科学では、仮説による説明や予測を演繹にしなければならないので、仮説の正しさを保証するアブダクションや実証が、どうしても演繹の逆になってしまう。だからどうしても、仮説に対して100パーセントの正しさを保証できないのである。

ちなみに今の、いくら実証しても仮説を完全に正しいと言うことはできない、という話は、アブダクションだけではなく、帰納や類比にも当てはまる。

根拠（スナメリにはヒレがある）
仮説形成↑↓説明（＝演繹）
仮説（スナメリはイルカである）
実証↑↓予測（＝演繹）
新しい事柄（スナメリは水中に棲んでいる）

5・4　仮説が反証されたとき

ところで、もし新しい事柄が事実でなかった場合、仮説は反証されたことになる。この場合、仮説はどうなるのだろうか。さきほどの、「スナメリはイルカである」という仮説から、「スナメリは水中に棲んでいる」という新しい事柄を予測した場合で考えてみよう。

反証されたケースだから、観察してみたら、スナメリは水中に棲んでいなかった場合だ。この場合は、スナメリはイルカではないと結論される。

スナメリはイルカである。**（仮説）**　　**（結論）**スナメリはイルカでない。

予測（＝演繹）←　　→ 反証

スナメリは水中に棲んでいる。**（新しい事柄）**≠**（事実）**スナメリは水中に棲んでいない。

予測は「スナメリはイルカである→スナメリは水中に棲んでいる」だったので、反証は「スナメリは水中に棲んでいない→スナメリはイルカでない」になる。ということは、この予測と反証は対偶の関係になる。つまり（予測は完全に正しいのだから）反証も完全に正しい主張となる。

したがって、仮説は完全に間違っていることになる。

スナメリはイルカである。**（仮説）**　　**（仮説の否定）**スナメリはイルカでない。

予測（＝演繹）←　　→ 反証（＝対偶）

スナメリは水中に棲んでいる。**（新しい事柄）**≠**（事実）**スナメリは水中に棲んでいない。

仮説は完全に正しいとは決して言えないが、完全に間違っていることはあるのだ。以上に述べたことをまとめると、次の図のようになる。仮説に向かわない矢印（説明、予測、反証）は演繹にすることができる。しかし、仮説に向かう矢印（仮説形成、実証）はつねに推測で、演繹にすることができない。したがって、仮説を完全に正しいと言うことはできないのである。

根拠

仮説形成←→説明

仮説　　　**仮説の否定**

実証→←予測　　→反証

事実＝**新しい事柄**≠事実

仮説は実証されても、完全に正しいと言うことはできない。しかし、仮説が反証されたときは、完全に間違っていると言える場合と、完全に間違っているとは言えない場合がある。

たとえば、「超能力がある」という仮説を検証するために、サイコロを振る実験をしたとしよう。自称超能力者は、サイコロの好きな目を出せると言う。そこで、3を出してもらうことにした。

ふつうの人がサイコロを振れば、6分の1の確率で3が出る。だからといって、たとえばサイコロを6回振れば、必ず3が1回出るというわけではない。たまたま3が多く出ることもあるし、3が1回も出ないこともある。しかし、サイコロを何回も振れば、3が出る回数はだいたい6分の1になるはずだ。

だから、自称超能力者が1回サイコロを振って3を出したとしても、あまり説得力はない。それは超能力のせいではなく、偶然の結果かもしれないからだ。しかし、2回、3回と続けて3を出せば、超能力があるという仮説は、どんどん良い仮説になっていく。反対に、サイコロを何回も振って、3が出る確率が6分の1に近づいていくなら、超能力があるという仮説は、どんどん悪い仮説になっていく。

しかし、3の出る確率が、いくつより上なら超能力があって、それより下なら超能力はないという、明確な線引きはできない。サイコロを振るにつれて、仮説はだんだん良くなったり悪くなったりするだけだ。この確率を下回ったら100パーセント超能力はないという境界が引けない以上、「超能力がある」という仮説を完全に否定することはできないのである（サイコロを無限回振って確率がぴったり6分の1になれば、「超能力がある」という仮説を完全に否定できるけれど、そういう実験は不可能だ）。

5・5　反証可能性

科学の仮説については、こんな意見もある。仮説を検証した結果、実証されても、仮説は100パーセント正しいとは言えない。それなら検証なんかしたって意味がないのではないか。そう言われれば、そんな気もする。しかし、だからと言って、すべての仮説が同じくらい当てにならない、ということにはならない。

将棋をする人はたくさんいる。そして将棋をすれば、片方が勝ち、もう一方が負ける（引き分けは考えないことにしよう）。絶対に負けない人はいない。どんなに強い人でも、負ける可能性はある。プロ棋士の名人でも、負けることはある。一方、私のようなヘボ将棋しか打てない者でも、勝つことはある。しかし、だからと言って、私と名人の将棋の強さが、同じということにはならない。

仮説の検証は、将棋の対局のようなものだ。将棋の場合は、対局で勝てば勝つほど、その人は強いと言われるようになっていく。仮に将棋の神様がいて、その神様は絶対に将棋に負けないとしよう。しかし人間は、決して将棋の神様の域には到達できない。将棋に負ける可能性がゼロの人間なんていないからだ。それでも対局に勝ち続ければ、とても将棋に強い人として、名人と呼ばれるようになる。人間は、神様になるのは無理でも、名人にはなれるのだ。

仮説の場合は、実証されればされるほど、その仮説は良い仮説になっていく。仮にこの世界に真理というものがあったとしよう。しかし仮説は、決して真理の域に到達できない。反証される可能性がゼロの仮説なんてないからだ（というか、すぐ後で述べるように、反証可能性がゼロの仮説は、科学では扱わない）。それでもさまざまな検証が行われて実証され続ければ、とても良い仮説になる。そういう仮説は、理論と呼ばれることもある。仮説は、真理になるのは無理でも、理論にはなれるのだ。

したがって、理論も仮説の一種である。現在の理論の中でもっとも良い理論の一つは相対性理論だと言われる。その相対性理論は現実の出来事に非常によく合っていて、測定すると（条件にもよるが）有効数字で10桁以上も合っているようだ。しかし、その相対性理論でも、20桁まで計算したら、現実とは合わなくなってしまうだろう。相対性理論はとても良い仮説なので、理論と呼ばれるが、真理ではないのである。

ところで、とても良い仮説なら、どんな仮説でも理論になれるわけではない。たとえば「ヒトの祖先には眼が3つあった」という仮説は、いくつもの検証を経て生き残ってきた、とても良い仮説である。おそらく3億年以上前の私たちの祖先には、眼が3つあった。現在でも一部の爬虫類などは、頭の上に第3の眼を持っている。頭頂眼と言われるこの眼は、明暗を感じることができる。しかし、ヒトに至る系統では頭頂眼は退化してしまったので、今では私たちの眼は2つしかない。

この「ヒトの祖先には眼が3つあった」という仮説はとても良い仮説だし、科学的な仮説でもあるけれど、理論とは呼ばれない。これは個別的な現象であって、一般的な法則ではないからだ。

また、「すべての生物の遺伝物質はDNAである」という仮説も、とても良い仮説である。遺伝物質というのは遺伝情報を持つ物質のことで、親から子へ遺伝物質が伝わる結果、カエルの子はカエルになるし、ヒトの子はヒトになるし、さらに、子の顔が親の顔に似たりするのである。

しかし、「すべての生物の遺伝物質はDNAである」という仮説も、理論とは呼ばれない。これは、今のところ例外が一つも見つかっていない非常に一般的な現象だが、法則ではなさそうだからだ。

もしも、遺伝物質になれるのがDNAだけで、他の物質は遺伝物質になることができないなら、これは法則だろう。しかし、通常は生物に含めないウイルスでは、遺伝物質にRNAを使っているものもある。そのため、生物が遺伝物質としてRNAを使うことも不可能ではなさそうだ。さらに言えば、たしかに現在の生物は、すべて遺伝物質としてDNAを使っている。しかし、過去の生物の中には、RNAを遺伝物質として使っていたものがいた可能性がある。そのため、遺伝物質がＤＮＡでなければならないという、法則的な必然性はなさそうだ。

　このように、科学で扱う仮説の中には、個別的な現象もあるし、一般的な現象もあるし、一般的な法則もある。それでは、科学で扱う仮説の範囲は、どこまでなのだろうか。

　前にも述べた有名な科学哲学者であるカール・ポパーは、「仮説に反証可能性があるかないかで、科学的な仮説かどうかを判断できる」と主張した。反証がありえないような仮説は、科学としての最低限の条件を満たしていないということだ。これについては反論もあるが、私はこの主張はとても明快で、実際の科学の場でも使える良い基準だと思う。

　たとえば、ある先生が良い人か悪い人かを判断することを考えよう。良い人か悪い人かは直接にはわからないので、なにか具体的な基準を設定しなければならない。そこで、勉強に悩んでいる学生を相談に行かせて、「大丈夫だよ、元気を出しなさい」と言ったら良い先生で、「お前なんかやめてしまえ」と言ったら悪い先生だと結論することにした。そこで、実際に学生Ａを相談に行かせたところ、先生は学生に向かって「大丈夫だよ、元気を出しなさい」と言った。そのため、先生は良い人だと結論された。

　さて、この「先生は良い人だ」というのは、（反証される可能性があるという意味で）科学的な仮説である。もしかしたら、翌日は先生の機嫌が悪くて、相談に行った別の学生Ｂに向かって「お前なんかやめてしまえ」と言うかもしれないからだ。

では、反証可能性のない仮説とは、どんな仮説だろうか。

ある学生Cは先生に心酔していて、先生は良い人だと心の底から信じている。「お前なんかやめてしまえ」と言われた学生Bが「先生は悪い人だ」と言うと、学生Cは学生Bをたしなめた。「いや先生には、深い考えがあるんだよ。Bくんにひどいことを言ったのも、きっと長い目で見ればBくんのためになると思ったからさ。だから先生は良い人なんだよ」

学生Cの考えでは、先生が「大丈夫だよ、元気を出しなさい」と言っても「お前なんかやめてしまえ」と言っても、「先生は良い人だ」と結論される。つまり「先生は良い人だ」という仮説を反証することはできない。そこで、学生Cが立てた「先生は良い人だ」という仮説は、科学的な仮説とは言えないことになる。

5・6　アドホックな仮説

ポパーはいろいろな主張をしているが、その中で実際の科学的活動（科学ライティングも含む）にとても役立つものが2つある。1つは今述べた反証可能性で、もう1つはアドホックな仮説と呼ばれるものに関する考えだ。

じつは、仮説は反証されても、すぐに捨てられるとは限らない。さきほどの例で考えてみよう。

「スナメリはイルカである」という仮説から「スナメリは水中に棲んでいる」という新しい事柄を予測したとする。ところが、実際に調べたら、陸上に棲むスナメリが発見されたとしよう。予測が外れたのだから、「スナメリはイルカである」という仮説は反証されたことになる。さて、ここで仮説を捨てずに生き延びさせるためには、どうしたらよいだろうか。

仮説から新しい事柄を予測したプロセスを、もう一度考えてみよう。じつは新しい事柄は、仮説だけから導き出されたものではない。仮説と暗黙の前提が協力して、新しい事柄を導きだしたのである。

スナメリはイルカである。**（仮説）**
イルカは水中に棲んでいる。**（暗黙の前提）**
↓
スナメリは水中に棲んでいる。**（新しい事柄）**

もし仮説が正しくても、暗黙の前提が間違っていれば、予測が外れても不思議はない。もし「イルカは水中に棲んでいる」という暗黙の前提が間違っていて、陸上に棲んでいるイルカがたくさんいるなら、当然仮説は反証される。しかし、その場合、間違っていたのは暗黙の前提であって、仮説ではないのである。

実際に仮説を検証するときには、この暗黙の前提がたくさんあることが普通である。たとえば、実験装置を購入して実験を行う場合は、実験装置の仕組みや性能なども暗黙の前提に含まれることになる。これらの暗黙の前提をすべてチェックして完全に正しくすることは、ほぼ不可能である。しかし、実際の科学研究の場では、暗黙の前提が問題になるケースは、意外と少ないのではないかと思う。とはいえ、暗黙の前提をできるだけチェックしておくことは必要である。

さて次に、暗黙の前提は一応正しいとしよう。それでも、反証された仮説を生き延びさせることはできるだろうか。

「スナメリはイルカである」という仮説から「スナメリは水中に棲んでいる」という新しい事柄を予測した。ところが、実際に調べたら、陸上に棲むスナメリが発見された。そのため、仮説が反証されたとみんなが思ったそのとき、ある人がこんなことを言いだした。

「空気中には水蒸気が含まれている。水蒸気は水（の気体）である。空気中で生きている生物は、水蒸気という水に囲まれて生きているわけだ。だから、陸上は水中なのだ。したがって、陸上で生きている生物も、水中で生きていると言ってよい」

この人が言うように、「陸上は水中である」という仮説をつけ加えれば、「スナメリはイルカである」という仮説は生き延びることができる。たとえ陸上に棲むスナメリが発見されても、陸上は水中だから、「スナメリは水中に棲んでいる」という予測は当たっていることになるからだ。

このような、仮説を生き延びさせるために後からつけ加えた仮説をアドホック（その場しのぎ）な仮説という。仮説が反証されたとしても、アドホックな仮説をつけ加えれば、たいていの仮説は生き延びることができる。さきほどの例でも、もしスナメリが地下で見つかったら、「地下は水中である」というアドホックな仮説をつけ加えればよい。

つまり、アドホックな仮説は、後出しジャンケンのようなものである。後出しジャンケンは、相手の手を見てから自分の手を出すので、間違いなく勝つことができる。アドホックな仮説は、検証の結果を見てから考え出すので、たいていの反証を覆すことができるのだ。

このように、アドホックな仮説をつけ加えて、ある仮説を生き延びさせるのはよくない。反証されたら、その仮説を捨て去るか、少なくともより悪い仮説になったことを認めなくてはならない。それはその通りなのだが、ポパーは、ある条件を満たす場合は、アドホックな仮説を認めてもよいと言うのである。

5・7　アドホックな仮説が認められる場合

ある人が病気になったとき、その原因についてA氏とB氏が仮説を立てた。A氏が立てたのは「原因はウイルスである」という仮説で、B氏が立てたのは「原因はインフルエンザウイルスである」という仮説だった。

この場合、A氏の仮説よりB氏の仮説の方が、反証されやすい仮説、つまり反証可能性が高い仮説になっている。もしも実際の原因がインフルエンザウイルスならば、A氏の仮説もB氏の仮説も当たりだし、赤痢菌（ウイルスではなく細菌である）ならばA氏の仮説もB氏の仮説も外れになる。しかし、ヒト免疫不全ウイルス（エイズを発症させるウイルス）ならば、A氏の仮説は当たりだが、B氏の仮説は外れになるからだ。

	A氏の仮説	**B氏の仮説**
実際の原因	原因はウイルスである	原因はインフルエンザウイルスである
インフルエンザウイルス	○	○
ヒト免疫不全ウイルス	○	×
赤痢菌	×	×

B氏の仮説の方が、当てはまる現象が少ない、つまり排除している現象が多いので、反証可能性が高い仮説になっている。そのため、もしA氏の仮説もB氏の仮説も実証され続けて生き延び

ていれば、Ｂ氏の仮説の方が反証可能性が高いので、良い仮説と言える。

さて、話を戻そう。ポパーは仮説が反証された場合でも、ある条件を満たす場合は、アドホックな仮説をつけ加えてもよいと言う。その条件とは、アドホックな仮説をつけ加えることによって、反証可能性が高まることだ。仮説が当てはまる現象が少なくなるなら、アドホックな仮説をつけ加えてもよいというわけだ。

さきほど「スナメリはイルカである」という仮説を検証したときの、アドホックな仮説はどうだろうか。「陸上は水中である」というのがアドホックな仮説だった。この仮説をつけ加えることによって、「水中」の範囲は海や川などだけでなく、陸上にまで広がった。したがって、「スナメリは水中に棲んでいる」という予測が当たる可能性は高くなった。その結果、「スナメリはイルカである」という仮説が生き延びる可能性も高くなった。ということは、仮説の反証可能性は低くなったというわけだ。こういう場合は、アドホックな仮説は認められないとポパーは言うのである。この「反証可能性が高くなるときのみアドホックな仮説を認める」という主張も明快で、実際の科学の場でも使える良い基準だと私は思う。

アドホックな仮説を認めた有名な話としては、海王星の発見がある。ドイツ出身のイギリスの天文学者、ウィリアム・ハーシェル（１７３８〜１８２２）によって、１７８１年に天王星が発見された。しかし、その軌道は、ニュートン力学による予想とずれていた。しかし、当時の天文学者たちは、ニュートン力学を捨てるのではなく、アドホックな仮説をつけ加えることによって、ニュートン力学を生き延びさせた。アドホックな仮説というのは、「天王星の外側に未知の惑星があり、その引力が天王星の軌道に影響を与えている」というものだ。そこで、ニュートン力学によって計算された予測をもとに観測した結果、1846年に海王星が発見されたのである。これは、アドホックな仮説を加えたことにより、ニュートン力学は、より多くの天体の軌道を説明しなければならなくなった。つまり、ニュートン力学の反証可能性は高くなった。しかし、実際に海王星が発見されたことにより、ニュートン力学は生き延びて、より良い仮説となったのである。

5・8　仮説は単純なほど良い

話は戻るが、189～190ページでアブダクションの説明をするときに、「『ある事柄をうまく説明してくれる仮説があり、その他に有力な仮説がない場合に、その仮説はおそらく正しい』とする推測である」と書いた。この文の中の「その他に有力な仮説がない」というのは、「その他に仮説が思いつかない」という意味もあるけれど、それだけではない。「一番有力な仮説に比べると、その他の仮説はもっと複雑である」という意味もある。他の条件が同じなら、一番単純な仮説を選ぶのが、科学のやり方だからだ。

生物が進化するメカニズムの一つは、自然淘汰である。進化のメカニズムは他にもあるけれど、生物を環境に適応させるメカニズムは自然淘汰しかない。空を飛べるような形に、鳥の翼を進化させたのは、自然淘汰なのである。

自然淘汰が働くための条件は簡単だ。子をたくさん産むことと、個体の間に遺伝する変異があることだけだ。変異が遺伝するというのは、たとえば背の高い親から生まれる子は、背が高い傾向があるということだ。この２つの条件が揃えば、生物は自動的に環境に適応していくのである。

ダーウィンの進化論には誤りもたくさんあるけれど、自然淘汰を進化のメカニズムの一つとしたことは不朽の業績である。生物を環境に適応させるメカニズムは、現在でも自然淘汰しか見つかっていない。ラマルクは、ダーウィンよりも先に進化論を唱えたため、自然淘汰を進化のメカニズムだと思いつかなかった。そのため、未知の力（ラマルクによれば、単純から複雑に向かう力や、生活習慣によって変わる神経流体の遺伝）を想定して、その力が生物を環境に適応させると考えた。また、今西錦司（きんじ）（１９０２～１９９２）は、ダーウィンよりも後に進化論を唱えたけれど、自然淘汰を進化のメカニズムだと認めなかった。そのため、やはり未知の力（今西によれば、生物の中と外にある一定方向に向かう力）を想定して、その力が生物を環境に適応させると考えた。

「鳥の翼は自然淘汰によって進化した」というダーウィンの仮説は、単純である。とくに変わったことを仮定する必要もない。しかし、「鳥の翼は未知の力によって進化した」というラマルクや今西の仮説は、複雑である。未知の力が働くためには、さまざまな仮定を置かなければならないからだ。こういう場合は、より単純なダーウィンの仮説（自然淘汰説）を選ぶのが科学の方法である。

5・9　推測では新しい情報が得られる

旧約聖書によれば、今から3000年以上前に、モーセはヘブライ人を率いてエジプトを出た。そして、約束の地を目指している途中で、エジプト軍によって葦（あし）の海の前に追い詰められた。絶体絶命の危機に陥ったそのとき、海が真っ二つに割れ、モーセたちは海底を歩いて渡ることができた。モーセたちが渡り終えると、海は再び閉じて、追ってきたエジプト軍は海に沈んでしまった、という。

たしかにこういう話もあるけれど、ここでは、水が真っ二つに割れることはないとしよう。つまり、池に落ちたら、必ずズブ濡れになるものとしよう。

さて、あなたはＡ氏が訪ねてくるというので、オフィスで友人と２人で待っていた。そのとき秘書が入ってきて、

「Ａ氏は来る途中で池に落ちたので少し遅れるそうです」

と、あなたたちに告げた。あなたは少し顔をしかめた。服が濡れたまま、オフィスに来られるのはいやだな、と思ったのである。

「ねえ、なんで嫌そうな顔をしたの？」

と友人に聞かれて、あなたは答えた。

「だって、きっとＡ氏は、服がびしょ濡れのまま、ここに来るよ」

「そんなこと、わかってるわよ。それのどこが問題なの？」

「だって、オフィスが汚れるじゃないか」

「そうなんだ。あなたって、心がせまいのね」

あなたは「Ａ氏が池に落ちた」という根拠から、「Ａ氏の服が濡れている」という結論を導いた。これは演繹である。なぜなら根拠が正しければ、結論も必ず正しいからだ。

しかし、この演繹によって、何か新しいことがわかったわけではない。「Ａ氏が池に落ちた」

と聞いた後で、あなたは友人にこう言った。

「だって、きっとA氏は、服がびしょ濡れのまま、ここに来るよ」

「そんなこと、わかってるわよ」

友人には、「A氏が池に落ちた」ことを知った時点で、「A氏の服が濡れている」こともわかってしまったのだ。つまり、「A氏が池に落ちた」という主張には、「A氏の服が濡れている」という情報が含まれているのである。このように演繹は、必ず正しい代わりに、情報量は増えないタイプの推論である。

ところで、池に落ちたA氏が、あなたたちに何の連絡もせずに、いきなりオフィスに現れたらどうなるだろう。


ノックの音がしたので、あなたはオフィスのドアを開けた。そこには全身びしょ濡れのA氏が立っていた。

「いったい、どうしたんだよ？　池にでも落ちたのか？」

すると横から友人が言った。

「バカなこと、言わないでよ。いくらAさんでも、池に落ちるほどアホではないわよ」

「いや、じつは……本当に池に落ちてね……」

あなたは「A氏の服が濡れている」という根拠から、「A氏が池に落ちた」という結論を導いた。これは推測である。推測は根拠が正しくても、結論が正しいとは限らない。雨に降られたり、ホースで水を掛けられたりした可能性もあるからだ。

しかし、推測を使えば、新しいことがわかるかもしれない。「A氏が池に落ちた」という結論は、「A氏の服が濡れている」という根拠に含まれてはいない。だから、あなたが、

「池にでも落ちたのか？」

と言ったときに、友人はこう言ったのだ。

「いくらAさんでも、池に落ちるほどアホではないわよ」

友人は、「A氏の服が濡れている」ことを知った時点では、まだ「A氏が池に落ちた」ことを知らなかった。つまり、「A氏が池に落ちた」という結論は、「A氏の服が濡れている」という根拠には含まれていない、新しい情報である。このように推測は、必ず正しいとは言えない代わりに、情報量は増える可能性がある推論である。

科学では新しいことを言う、つまり情報量が増えることが大切だ。したがって、科学は必ず推論を使う。推測には帰納、類比、アブダクションなどがあるが、これらはすべて情報量を増やすことができる推測なので、どれも科学にとって重要なのである。

5・10 推論のまとめ

それでは推論について、簡単に復習しておこう。

推論は演繹と推測に分けられ、推測はさらに帰納、類比、アブダクションに分けられる。以下の推論は、演繹、帰納、類比、アブダクションのいずれか。

［問題5－1］

（1）マウスにインスリンを投与すると血糖値が下がるので、おそらくヒトにインスリンを投与しても血糖値が下がるだろう。
（2）新幹線は、かなり時間に正確に運行されているので、明日乗る新幹線も時間通りに東京駅につくだろう。
（3）歯が痛い。どうやら私は虫歯になったらしい。
（4）植物は光合成をする。食虫植物も植物なので、光合成をしている。

［問題5－1の解答］

（1）動物実験は類比の典型的な例である。

　答え：類比

（2）これまでの新幹線の運行に関する多くのデータから、明日の新幹線の運行について推測しているのだから、帰納になる。

　答え：帰納

（3）「歯が痛い」という事実をうまく説明してくれる仮説「私は虫歯だ」を立てている。問題文には書かれていないが、「虫歯になれば歯が痛くなる」ことを暗黙の前提としている。

　答え：アブダクション

（4）「植物は光合成をする」と「食虫植物は植物である」が根拠で、「食虫植物は光合成をする」が結論である。「植物は光合成をする」を「植物↓光合成をする」と表し、「食虫植物は植物である」を「食虫植物↓植物」と表せば、この2つの根拠は「食虫植物↓植物↓光合成をする」のように接続できる。この接続した形が、結論「食虫植物↓光合成をする」になっている。つまり、根拠が正しければ、必ず結論も正しい。したがって、この推論は演繹である。

　答え：演繹

［問題5－2］

以下のアブダクションによる推論では、前の文が根拠で、後ろの文が仮説になっている。このアブダクションにおける暗黙の前提は、①と②のどちらか。

「熱が出た。風邪を引いたみたいだ。」

暗黙の前提

① 風邪を引くと、たいてい熱が出る。

② 熱が出るのは、たいてい風邪を引いたときだ。

［問題5－2の解答］

アブダクションの場合、仮説と暗黙の前提は、協力して根拠を演繹しなくてはならない。この問題における根拠は「熱が出た」で、仮説は「風邪を引いた」である。そして、選択肢にある暗黙の前提は、以下の2つだ。

① 風邪を引く　↓　熱が出る

② 熱が出る　↓　風邪を引く

この2つのうち、仮説「風邪を引いた」から根拠「熱が出た」を導くことができるのは①である。

答え：①

［問題5－3］

クリエーショニスト・ステッカーに書かれていた「進化は理論であって、事実ではない」という文は、創造論者にとっても科学者にとっても納得できるものである。しかし、その場合、創造論者と科学者では、「理論」を異なる意味で使っている。それぞれ、どのような意味で使っていると考えられるか。

① 100パーセント確実なこと。
② 仮説の一種だが、かなり良い仮説。
③ 仮説の一種だが、かなり悪い仮説。
④ 100パーセント間違っていること。

［問題5－3の解答］

創造論者は聖書の記述どおりに、神（あるいは神に近い存在）が、生物を今の姿のままで創ったと信じる。だから、進化論は間違っていると考える。つまり、創造論者は聖書の記述は100パーセント正しいと考えるため、当然それに反する進化論は100パーセント間違っていると考える。したがって、創造論者は「理論」を④の意味で使っているはずである。

一方、科学者は、仮説の良し悪しは相対的なものと考える。その中で比較的良い仮説を「理論」と呼んでいる。

答え：創造論者④、科学者②

［問題5－4］

「ミステリーサークル（田畑の植物が円形に倒される現象）は宇宙人が作ったものだ」という仮説がある。この仮説の検証方法を考えよ。

［問題5－4の解答］

原因がわからないものなら、なんでも宇宙人のせいにすることは可能である。たとえば、買っておいたケーキがなくなった場合、「宇宙人がケーキを食べた」という仮説を立てることはできる。でも「家族がケーキを食べた」という仮説も立てることができる。ケーキを食べることは、宇宙人だけでなく人間にもできるからだ。

さて、「宇宙人がケーキを食べた」と「家族がケーキを食べた」は両方とも仮説であり、両方とも100パーセント正しいとは言えない。とにかくケーキがなくなるところを見ていなければ、真実はわからない。

とはいえ、「宇宙人がケーキを食べた」と「家族がケーキを食べた」が、同じくらい良い仮説というわけではない。「宇宙人がケーキを食べた」という仮説には、多くの複雑な「暗黙の前提」が必要になるからだ。「広大な宇宙空間をどうやって移動してきたのか」から「家族に見つからずにどうやってケーキを食べたのか」まで、いろいろな暗黙の前提が必要だ。したがって、この場合は、暗黙の前提が少なくて済む「家族がケーキを食べた」の方が、良い仮説と言える。

仮説は無数に立てられる。ケーキを食べた可能性があるのは「家族」と「宇宙人」だけでないからだ。「ウマが食べた」のかもしれないし「アフリカゾウ」が食べたのかもしれない。アフリカは少し遠いけれど、宇宙に比べたらずっと近いし。その他にも「仮面ライダー」とか「仏像」とか、ありとあらゆる可能性がある。その中で「宇宙人がケーキを食べた」というのは、順位（がつけられるとして）がかなり下の悪い仮説だろう。では、宇宙人仮説の順位を上げるには、どうしたらよいだろうか。

さきほどモーセの話をしたが、モーセは人々から預言者であることを疑われたときのために、3つのしるしを与えられていたという。その一つは「ナイル川の水が血に変わる」ことである。

でも、素直に考えれば、モーセが預言者であることと、ナイル川の水が血に変わることは、あまり関係がなさそうである。それなのに、ナイル川の水が血に変われば、人々はモーセが預言者であることを信じるらしい。その理由は、人間にはナイル川の水を血に変えることはできないと、人々が考えていたからだろう。預言者は通常の人間を超えた存在（神と何らかのコミュニケーションが取れる存在）であり、そのため人間にはできないことができるというわけだ。「ミステリーサークルは宇宙人が作ったものだ」という仮説にも、同じ心理が働いている可能性が高い。「ミステリーサークルは宇宙人が作ったものだ」という仮説を立てた人は、暗黙の前提として「ミステリーサークルは人間には作れないものだ」と考えていた可能性が高い。その場合は、人間がミステリーサークルを作ってみれば、仮説の検証になる。もし作れれば、仮説の反証になるからだ。もちろん、どんなに反証しても、宇宙人仮説を主張し続ける人はいるかもしれない。しかし、適切な反証を行えば、少なくとも主張し続ける人の数は減っていくことだろう。

解答例：人間がミステリーサークルを作ってみる。

5・11　仮説とシナリオ

科学ライティングでは、意味が明確な文を書かなければならない。しかし、その一方で、科学ライティングでは仮説について書くことは避けられない。ところが、科学における仮説はつねに反証される可能性があり、100パーセント正しいとは言えない。こういう仮説について、どのような書き方をしたらよいのだろうか。

［例文5－1］

(1)カマキリやある種のクモは、交尾の最中にメスがオスを食べることがある。(2)こうした性的共食いは、もともと捕食者である種で進化する傾向がある。(3)メスはオスを、単に獲物の一つとして見ているのかもしれない。(4)メスに近づいてくるオスはたくさんいるので、オスを何匹か食べてしまっても構わないのだろう。

それぞれの文について、順番に考えてみよう。文（1）は観察事実なので、「〜がある」と断定している。文（2）は仮説である。「性的共食いは捕食者で進化することが多い」けれど「性的共食いはすべての捕食者で進化する」あるいは「性的共食いは捕食者でしか進化しない」とまでは断定できないのだろう。おそらく相関関係があることで実証されていると考えられる。そこで、「〜する傾向がある」という少し弱い表現になっている。

文（3）はシナリオと呼ばれるもので、観察事実や仮説から推測されるという点では、仮説と同じである（仮説からさらに仮説を立てるということは、よくある）。ただし、仮説は検証できる形になっていなければならないが、シナリオの場合は必ずしも検証できる形になっていなくてもよい（もちろん、なっていてもよい）。

たとえば、「隕石が地球に衝突して、恐竜が絶滅した」ことを主張する論文の根拠が、「クレーターを発見した」ことだったとしよう。この論文では「隕石が地球に衝突した」ことが仮説で、「クレーターを発見した」ことによって仮説は実証されている。一方、「恐竜が絶滅した」ことはシナリオで、「隕石が地球に衝突した」ことから推測したものだが、とくに検証はされていない。もっとも次の論文では、この「恐竜が絶滅した」というシナリオが仮説になって、検証されることになるかもしれない。しかし、この論文では、まだシナリオである。

ということで、文（3）はシナリオなので、「〜かもしれない」と可能性を指摘するに留めてある。文（4）もシナリオなので、「〜だろう」と可能性を指摘するに留めてある。

このように科学ライティングでは、仮説やシナリオの部分は断定できない。しかし、これは、仮説やシナリオであることを明確に示すために、必要なことである。「明確な文」と「断定する文」は違うのだ。科学ライティングでは、すべての文を「明確な文」にしなければいけないけれど、すべての文を「断定する文」にしてはいけないのだ。

例文5－1を断定した文で書き直すと、以下の例文5－2のようになる。こういう文章を読んだら、違和感を覚えなくてはいけない。とくに文（7）には、かなりの違和感を覚えるべきだろう。

［例文5－2］

(5)カマキリやある種のクモは、交尾の最中にメスがオスを食べることがある。(6)こうした性的共食いは、もともと捕食者である種で進化する。(7)メスはオスを、単に獲物の一つとして見ているのだ。(8)メスに近づいてくるオスはたくさんいるので、オスを何匹か食べてしまっても構わないのである。

さて、次の例文5－3は、例文5－1の続きの文章である。

［例文5－3］

(9)一方、オスは性的共食いを避けようとするようだ。(10)いくつかの種では、メスに比べてオスが非常に小さい。(11)これをメスの捕食を逃れるための進化だと考える研究者もいる。(12)小さすぎて食べる価値もない、というわけだ。

(13)ところが、自ら進んで性的共食いをさせているように見えるオスもいる。(14)メスがゆっくりとオスを食べている間も、オスはメスと交尾し続ける。(15)自分の体の栄養で、受精させたメスの繁殖力を強めているのだろう。

例文5－3では、いくつかの文が「断定する文」になっている。たとえば第1段落では、文（10）と文（12）がそうだ。しかし実は、文（12）は、断定しない方が望ましい文だ。とはいえ、推測の形の文があまりに多いと、読みにくい文章になってしまうのも事実である。そのため、誤解のない範囲なら、断定の形の文を入れることは許される。

第1段落の場合、文（11）は研究者の推測であることが明確に示されている。そして文（12）は、文（11）の言い換えであることが、「〜というわけだ」という文尾によって明確に示されている。したがって、文（12）は断定の形をしているが、推測であることがはっきりと読み取れる。このように、誤解のない範囲で断定の文を入れることも、科学ライティングでは必要である。しかし、そうであっても、科学ライティングでは、いつも科学の限界について意識していなくてはいけない。「断定する文」をある程度使うことは仕方がないが、どこが仮説やシナリオであるかは、読者にわかるようにしなくてはいけないのである。

第6章　科学と社会の架け橋

6・1 紙芝居のような文章

最後に、「科学と社会の架け橋になる」文章について考えてみよう。つまり、科学を専門の職業などにしていない人も含めた、広い読者に向けた文章のことだ。いわゆる「一般書」と言われる書籍の文章が、その代表的なものだろう。こういう文章を、パラグラフ・ライティングの方法で書くのは、あまりよくない。

私の友人は、電車に乗るために駅に行くと、まず表示を見る。何の表示を見るのかというと、降りる駅の階段の位置が示された表示を見るのである。そして、降りる駅の階段が、もし電車の3両目に近ければ、3両目に乗る。電車から降りたときに、すばやく駅から出られるように、前もって考えているわけだ。

一方、私は駅に行くと、（混雑時でなければ）ホームを歩く。そしてなるべくなら、降りる駅でも階段から離れたところで下車して、またホームを歩く。時間が許すなら、電車も遠回りをする方に乗る。なぜかというと、私は鉄道が好きだからだ。ホームにいたり、電車に乗ったりすることが楽しい（中学も高校も鉄道研究会でした）。だから、なるべく長く鉄道に関係した場所にいようとするのである。

　専門家に向けた文章は、駅にいるときの友人のような気持ちで読まれる文章だ。なるべく短い時間で、きちんと内容を理解したい。楽しさは求めない。つまらなくたってよいから、効率的に内容をつかめる文章が望ましい。こういう文章を書くには、パラグラフ・ライティングが適している。

　しかし、広く社会に科学を伝える文章は、駅にいる私のような気持ちで読まれる文章が望ましい。効率は求めない。むしろ遠回りをしたくなるような、読み終わるのが惜しいような、そんな文章がよい。関連した分野の別の本を読みたくなれば、さらによい。こういうときには、紙芝居のような文章が適している。

　学会などでは、どんな発表がよいのかについて、いろいろな意見がある。ある大学の先生は、「発表は紙芝居じゃないんだから」と言って、学生をよく諫(いさ)めるらしい。一方、iPS細胞の開発で有名な山中伸弥氏は、紙芝居のような発表がよいという意見のようだ。紙芝居のような発表とは、連続性を大切にした発表ということだろう。紙芝居の絵は直前の絵と、発表のスライドは直前のスライドと、きちんと話がつながっていると理解しやすい。流れるような話とか流れるような文章とか言われるのは、こういう紙芝居的なものだろう。

　一方、パラグラフ・ライティングでは、必ずしも連続性を重視しない。たとえばキーセンテンスは、パラグラフの最初に置くのが基本である。そのキーセンテンスは、どの文につなげるように書くのかというと、直前の文ではなく、直前のパラグラフの最初にあるキーセンテンスにつなげるように書く。連続性よりも飛ばし読みができる効率性を重視しているわけだ。

6・2　トピックの並べ方

それでは、紙芝居のような文章というのは、どういう文章のことだろうか。それは、トピックの並べ方がよい文章のことである。

短い文章なら、たった1つのトピックを述べただけで、終わるものもあるだろう。しかし、ほとんどの文章は、いくつかのトピックをつなげたものである。そのトピックの順序は、何通りもある。単純に考えれば、5つのトピックを述べる順序は、5×4×3×2＝120通りもあるのである。

文章というものは、たくさんの文からできている。だから、個々の文も大切だ。しかし、文については、第2〜3章で述べたようなことに気をつけて、わかりやすい文をきちんとつないでいけば、それで十分だろう。しかし、文章全体のトピックの並べ方が不適切なら、文のレベルでいくらがんばっても、紙芝居のような文章は書けない。論理の展開がわかりにくい文章になってしまう。

［例文6－1］

アメリカなどでは、大人が牛乳を飲むことに反対している人たちがいる。牛乳は子ウシのためにつくられたものであって、ヒトのためにつくられたものではない。ヒトはもともと牛乳を飲むようにつくられていない。それなのに、なぜ牛乳を飲むのか。糖尿病や心臓病などの病気になるのはそのせいだ。私たちの体は、何百万年も続いた旧石器時代の生活に適応しているのだから、旧石器時代の食べ物を食べるべきなのだ。そういう意見である。

たしかに私たちの（大人の）体は、もともとはミルクを飲むようにつくられていなかった。しかし、ここ数千年のあいだに、ミルクを飲めるような体に進化したのだ。進化した以上、昔の常識は今の非常識になっている可能性がある。

たとえば、私たちは、昔は海に棲んでいた。だから私たちの体は、もともと陸上に棲むようにはつくられていなかった。しかし、いまでは陸上に棲めるような体に進化したのだ。進化した以上、「陸上に棲むのは不健康で水中で生活するのが健康への道」ということはないだろう。そもそも、ずっと水中に潜っていたら、死んでしまう。昔の常識は、今の非常識なのだ。

私たちがミルクを飲めるようになったのは、自然淘汰の結果である。つまり、ミルクを飲めない人よりミルクを飲める人のほうが、たくさんの子を残せたということだ。そうであれば、ミルクを飲めない人より飲んだ人のほうが健康だった可能性は高い。

ここ数千年間の北ヨーロッパでは、ミルクを飲まなかった人は骨の病気に苦しんだかもしれないけれど、ミルクを飲んだ人はあまり苦しまなかったかもしれない。もしかしたら北アフリカでは、ミルクを飲まなかった人は喉が喝いてつらかったかもしれないけれど、ミルクを飲んだ人は十分な水分が摂れたかもしれない。

たしかに私たちの体は、もともとはミルクを飲むようにつくられていなかった。しかし、今ではミルクを飲むようにつくられているのだ。そういう風に進化したのだ。もちろん飲み過ぎれば肥満などの原因になるが、それは別の話である。そもそも食べ過ぎれば、どんな食べ物だって体に悪いし、飲み過ぎれば、どんな飲み物だって体に悪いだろう。

以上の例文6－1は、私がある本（『残酷な進化論』NHK出版新書）に書いた文章を、少し短くしたものである。牛乳反対派の意見に、私が反論した部分だ。牛乳反対派の意見は次の2つのステップから成る。

牛乳反対派の意見1：私たちの体は牛乳を飲まなかった旧石器時代の生活に適応している。

牛乳反対派の意見2：だから牛乳を飲むと不健康になる。

一方、例文6－1は6つの段落から成る文章である。各段落の内容をまとめると、次のようになる。

第1段落　牛乳反対派の意見1と2の紹介
第2段落　牛乳反対派の意見1に対する反論
第3段落　第2段落の補足（たとえ）
第4段落　牛乳反対派の意見2に対する反論
第5段落　第4段落の補足（可能性のある例）
第6段落　反論のまとめ

さて、トピックの並べ方はケース・バイ・ケースで考えなければいけないが、それでも注意すべきポイントはある。それを2つ述べておこう。

1つ目は、自然な順序に並べることだ。たとえば、時間の経過に沿って並べるとか、一般的な話題から始めて個別的な話題で終わるとか、読者が知っていそうなことを述べてから知らなそうなことへ発展させていくとか、そういう順序が自然な順序である。

例文6－1では、まず、牛乳反対派の意見（第1段落）を紹介して、次に、それに対する反論（第2～6段落）を述べている。この場合は、「意見→反論」というのが自然な流れだからだ。

そして、第2～6段落の中では、牛乳反対派の意見の論理展開に沿って、反論を並べている。まず、牛乳反対派の意見1に対する反論を述べて（第2～3段落）、次に、牛乳反対派の意見2に対する反論（第4～5段落）を述べて、最後に反論をまとめている（第6段落）。

ちなみに、パラグラフ・ライティングなら、こうは書かないだろう。私が一番言いたいことは「牛乳反対派の意見」ではなくて「それに対する反論」だから、「それに対する反論」の内容を最初に書かなくてはいけない。それが時間の節約というものだ。

さて、2つ目の注意すべきポイントは、重要なことは繰り返すことだ。

大学の先生の中には、こんなことを言う人がいる。

「講義中に、答えをそのまま教えているのに、その直後に小テストをすると、できない学生が結構いる。いったい、どういう頭の構造をしているんだ」

でも、この意見には暗黙の前提がある。その前提が間違っているのではないだろうか。

大学の先生になるような人は、おそらく若い頃は真面目な学生だったのだろう。もちろん中には不真面目だった人もいるだろうが、全体的に考えれば、大学の先生になる学生には、真面目な学生が多い傾向があるだろう。

真面目な学生は、講義中に先生の話を全部聞いているかもしれない。でも大部分の学生は、講義中に先生の話を聞いたり聞いていなかったりするはずだ。たまたま学生が聞いていないときに先生が話したことが、小テストに出題されれば、できなくて当然である。

前記のような発言をする大学の先生は、おそらく真面目な学生だったのだろう。だから、「学生はみんな先生の言うことを全部聞いている」という暗黙の前提を立ててしまったのだろう。でも現実には、そんなことはありえない。

机に突っ伏して寝ている学生はもちろんだが、たとえ顔が前を向いていたって、先生の話を聞いているとは限らない。頭の中ではまったく別のことを考えているかもしれないし、目を開けたまま寝ているかもしれない（私にはできないが、目を開けたまま寝ることができる人はいるようだ）。さらに、先生の話を聞いていた場合でも、その内容を覚えていない学生はたくさんいるだろう。私も、誰かと話しているときに、適当に相づちを打ちながらいい加減に聞いていると、その直後でも会話の内容をまったく覚えていないことがよくある。

人の記憶はかなりいい加減だ。見たり聞いたりしたことで、記憶されるのはその一部分にすぎない。これは、文章を読むときでも（話を聞くときよりは、ましかもしれないが、基本的には）同じである。そのため、重要なトピックは繰り返した方がよい。いくら論理がしっかりした文章でも、読者が前に読んだことを忘れてしまえば、内容を伝えることはできないからだ。

　とはいえ、同じ話を２回繰り返したら、読者は飽きてしまう。そのため、２回目は少し形を変えた方がよい。例文６－１では、内容的には第３段落は第２段落の繰り返しで、第５段落は第４段落の繰り返しになっている。しかし、繰り返すときには形を変えてある。第３段落は、たとえを使って第２段落を説明しており、第５段落は、例を挙げて第４段落を説明している。このように、たとえや例を使って、重要なトピックの内容を繰り返すのは、よい方法である。

　難しいことをわかりやすく説明するために、たとえや例を使う人は多い。もちろん、たとえや例は、理解を助けるためにも役に立つ。でも、理解しても忘れてしまえば、その先の文章をすらすらと読み進めることはできない。前のページに戻って読み直すことなく、すらすらと読み進めていくためには、理解するだけでなく記憶することが必要だ。

　たとえや例は、理解しにくいところだけでなく、記憶しにくいところでも積極的に使うとよい。重要なことを忘れてしまったら、それより先の文章がどんなにわかりやすく書いてあっても、読者にはわからない文章になってしまうのだから。

6・3　何を書かないか

これから文章を書こうと思ったときには、著者は何を書くかを考える。でも、いったん文章を書き始めたら、著者は何を書かないかを考えなければならない。読者に伝えたいことをすべて詰め込んだ文章は、得てして読者に何も伝わらない文章になってしまうからだ。そのためには、何を書かないかを決めなくてはならない。

［例文6－2］

恐竜というと、体ばかり大きくて、アホでノロマな動物というイメージがある。私たち哺乳類に比べると、恐竜はいろいろな面で劣っていると思っている人も多いと思う。でも、本当にそうだろうか。

恐竜と哺乳類は、中生代初期のほぼ同じ時期に出現した。それにもかかわらず、それから圧倒的に繁栄したのは恐竜だった。哺乳類は中生代を通じて、日陰者だったと言ってよい。その理由の1つは、恐竜の体の仕組みが、哺乳類より優れていたからかもしれない。

たとえば、肺について考えてみよう。私たち哺乳類の肺は、空気が入るときも出るときも、同じ穴を使っている。だから、吸ったばかりの酸素の多い空気と、吐き出すときの酸素の少ない空気が、どうしても混ざってしまう。さらに、空気を吸うときと吐くときでは、肺の中を空気が逆方向に流れるので、効率もよくない。つまり、呼吸器としてはあまり性能がよくないのである。

恐竜の肺の構造はよくわからないが、少なくとも一部の恐竜は、鳥の肺と同じ構造をしていた可能性が高い。なぜなら、鳥は恐竜の生き残りだからだ。鳥の肺には気嚢（きのう）という袋がついている。気嚢は、後気嚢と前気嚢に分けられ、肺に空気を送る役目を果たしている。

鳥が呼吸をすると、空気は「体の外→後気嚢→肺→前気嚢→体の外」というふうに流れていく。そのため肺の中は、空気がいつも一方向に流れている。そのため、効率もよいし、酸素の多い空気と少ない空気が混ざることもない。つまり、呼吸器として性能がよいのだ。

私たち哺乳類は、空気が少ない高山では、活発に運動することができない。だから、ヒマラヤ山脈に登るには、大変な苦労をする。ところが、ふと空を見上げると、渡り鳥がヒマラヤ山脈を越えて、飛んでいったりする。山頂よりもさらに空気が薄い上空を、飛んでいくのだ。あんな芸当は、とても哺乳類にはできない。もしも、恐竜が鳥のような肺をもっていたとすれば、私たち哺乳類は、とても恐竜にはかなわなかっただろう。

私たちは、つい自分の方が優れていると思いがちである。でも、肺だけでなく心臓や腎臓や脳も、哺乳類より恐竜の方が優れていた可能性がある。恐竜をアホでノロマと決めつけるのは、恐竜に対して失礼だろう。

かつて、恐竜はノロマな動物と思われていた。しかし最近では、活発な動物であることがわかってきた。それを読者に伝えるには、どうすればよいだろうか。

たとえば、具体的な情報を書くのもよいだろう。ただ「活発な動物でした」と書くだけではなく、どういう根拠で活発と考えられているのか、具体的に書くのはよいことだ。でも、具体的な根拠がたくさんあるときは、どうしたらよいか。

書く内容が多すぎるときは、何を書かないか決めなくてはならない。例文６－２では、具体例として肺だけを説明し、その他のことはほとんど書かなかった。何を書くかを決めるためには、何を書かないかを決めないといけないのだ。

これは、文章の長さには関係ない。いつも書きたいことが実際に書けることよりも多くないといけない。小説などは違うかもしれないが、科学ライティングでは、文章は無理やりひねり出して書くものではない。書きたいことの中から、一部のトピックを選んで、それを組み立てて文章にするのがよい。書きたいものが少ないと文章に余裕がなくなるため、自由にトピックを選んだり並べたりできないし、書いた後で文章を変更するときにも苦労する。

文章に余裕があれば、一部のトピックを除いたり、あるいは加えたりしながら、トピックの順序を自由に変えることができる。そして、トピックの順序が適切になれば、紙芝居のように話を連続させることもできる。

そのためには、心を落ち着かせて、ゆったりとした気分で文章を書くのが理想だろう。決して締め切りに追われながら、慌てて書いてはいけない。でも本書は（というか私が書いた本はどれも）、残念なことに締め切りに追われながら書いたものである。だから本書は、文章の書き方についての理想的な本ではない。でも、しょせん人間には、完璧なものは作れないのだから、理想的でないからといって、意味がないことはないだろう。科学ライティングに一般性があれば、それをいくばくかは伝えることができたのではないだろうか。私が美味しいと言ったラーメンを食べて、「うん、やっぱり美味しいよ」と言ってくれる人が、一人でも多いことを願うばかりである。

おわりに

本書は、科学ライティングの本なので、文章の書き方についての本である。文章の書き方についての本は、他の本にはない厳しさがある。だって、わかりやすい文章の書き方を述べているくせに、その本の文章がわかりにくかったら、面目丸潰れだからだ。何とか本書が、読者の役に立つ本になっていればよいのだけれど。

なお、本書は、東京大学教養学部および東京大学大学院総合文化研究科における講義「科学技術ライティング論」の内容をもとにしている。学生諸氏および傍聴して下さった教員の方々のコメントは大変参考になった。ありがとうございます。また、多くの助言を下さった講談社の篠木和久氏および柴崎淑郎氏、そのほか本書をいい方向に導いて下さった多くの方々、そして何よりも、この文章を読んで下さっている読者諸賢に、深く感謝いたします。

２０２０年４月　更科　功

参考文献

イヴ・ドゥランジュ（1989）『ラマルク伝　忘れられた進化論の先駆者』（平凡社、訳：ベカエール直美）

岩淵悦太郎（編著）（1979）『悪文』（日本評論社）

カール・ジンマー、ダグラス・J・エムレン（2016-2017）『進化の教科書・第1〜3巻』（講談社、訳：更科功、石川牧子、国友良樹）

木下是雄（1981）『理科系の作文技術』（中公新書）

木下是雄（1990）『レポートの組み立て方』（ちくまライブラリー）

倉島保美（2012）『論理が伝わる「書く技術」』（講談社ブルーバックス）

幸田露伴（1927）『五重塔』（岩波文庫）

酒井邦嘉（2016）『科学という考え方』（中公新書）

酒井仙吉（2015）『哺乳類誕生　乳の獲得と進化の謎』（講談社ブルーバックス）

鈴木哲也、高瀬桃子（2015）『学術書を書く』（京都大学学術出版会）

須藤靖、伊勢田哲治（2013）『科学を語るとはどういうことか』（河出書房新社）

高田瑞穂（1959）『新釈　現代文』（新塔社）

竹村彰通（2018）『データサイエンス入門』（岩波新書）

戸田山和久（2005）『科学哲学の冒険』（NHKブックス）

戸田山和久（2011）『「科学的思考」のレッスン』（NHK出版新書）

戸田山和久（2012）『新版　論文の教室』（NHKブックス）

外山滋比古（2010）『文章力　かくチカラ』（展望社）

野矢茂樹（2006）『新版　論理トレーニング』（産業図書）

野矢茂樹（2017）『大人のための国語ゼミ』（山川出版社）

福地健太郎、園山隆輔（2019）『図解でわかる！　理工系のためのよい文章の書き方』（翔泳社）

松尾豊（2015）『人工知能は人間を超えるか』（角川EPUB選書）

松村明（編）（1971）『日本文法大辞典』（明治書院）

松村明（2006）『大辞林・第三版』（三省堂）

丸山健夫（２００６）『「風が吹けば桶屋が儲かる」のは０・８％!?』（ＰＨＰ新書）
三浦順治（２０１２）『グローバル時代の文章術Ｑ＆Ａ60』（創拓社出版）
村越行雄（２０１５）「〈言語・文化〉段落とパラグラフの構造と方法について」（跡見学園女子大学『コミュニケーション文化９巻』中の記事）
森銑三（１９６９／２００１）『明治人物夜話』（岩波文庫）
森博嗣（２０１８）『読書の価値』（ＮＨＫ出版新書）
結城浩（２０１３）『数学文章作法　基礎編』（ちくま学芸文庫）
結城浩（２０１４）『数学文章作法　推敲編』（ちくま学芸文庫）
吉川真（２０１３）「地球接近天体とスペースガード」（日本地球惑星科学連合『日本地球惑星科学連合ニュースレター９巻３号』中の記事）
リチャード・Ｃ・フランシス（２０１９）『家畜化という進化』（白揚社、訳：西尾香苗）
渡辺哲司（２０１３）『大学への文章学』（学術出版会）
Messerli, F. H. (2012) Chocolate Consumption, Cognitive Function, and Nobel Laureates, *The New England Journal of Medicine* Doi: 10. 1056/NEJMon1211064

【わ行】

【た行】

【な行】

【は行】

【ま行】

【や行】

【ら行】

索　引

N.D.C.816　248p　18cm

ブルーバックス　B-2138

理系の文章術
今日から役立つ科学ライティング入門

2020年 5 月20日　第 1 刷発行

著者　更科　功
発行者　渡瀬昌彦
発行所　株式会社講談社
〒112-8001 東京都文京区音羽2-12-21
電話　出版　03-5395-3524
販売　03-5395-4415
業務　03-5395-3615
印刷所　（本文印刷）豊国印刷株式会社
（カバー表紙印刷）信毎書籍印刷株式会社
製本所　株式会社国宝社

ISBN978-4-06-519562-8

発刊のことば

科学をあなたのポケットに

二十世紀最大の特色は、それが科学時代であるということです。科学は日に日に進歩を続け、止まるところを知りません。ひと昔前の夢物語もどんどん現実化しており、今やわれわれの生活のすべてが、科学によってゆり動かされているといっても過言ではないでしょう。

そのような背景を考えれば、学者や学生はもちろん、産業人も、セールスマンも、ジャーナリストも、家庭の主婦も、みんなが科学を知らなければ、時代の流れに逆らうことになるでしょう。

ブルーバックス発刊の意義と必然性はそこにあります。このシリーズは、読む人に科学的に物を考える習慣と、科学的に物を見る目を養っていただくことを最大の目標にしています。そのためには、単に原理や法則の解説に終始するのではなくて、政治や経済など、社会科学や人文科学にも関連させて、広い視野から問題を追究していきます。科学はむずかしいという先入観を改める表現と構成、それも類書にないブルーバックスの特色であると信じます。

一九六三年九月

野間省一

ブルーバックス　趣味・実用関係書（I）

35 計画の科学　加藤昭吉
733 紙ヒコーキで知る飛行の原理　小林昭夫
1063 自分がわかる心理テストPART2　芦原　睦＝監修
1073 へんな虫はすごい虫　安富和男
1083 格闘技「奥義」の科学　吉福康郎
1084 図解　わかる電子回路　加藤　肇／見城尚志／高橋　久
1112 頭を鍛えるディベート入門　松本　茂
1234 子どもにウケる科学手品77　後藤道夫
1245 「分かりやすい表現」の技術　藤沢晃治
1273 もっと子どもにウケる科学手品77　後藤道夫
1284 理系志望のための高校生活ガイド　鍵本　聡
1346 図解　ヘリコプター　鈴木英夫
1352 確率・統計であばくギャンブルのからくり　谷岡一郎
1353 算数パズル「出しっこ問題」傑作選　仲田紀夫
1364 理系のための英語論文執筆ガイド　原田豊太郎
1366 数学版　これを英語で言えますか？　E・ネルソン／保江邦夫＝監修
1368 論理パズル「出しっこ問題」傑作選　小野田博一
1387 「分かりやすい説明」の技術　藤沢晃治
1396 制御工学の考え方　木村英紀
1413 『ネイチャー』を英語で読みこなす　竹内　薫
1420 理系のための英語便利帳　倉島保美／榎本智子／黒木　博＝絵

1430 Excelで遊ぶ手作り数学シミュレーション　田沼晴彦
1443 「分かりやすい文章」の技術　藤沢晃治
1448 間違いだらけの英語科学論文　原田豊太郎
1478 「分かりやすい話し方」の技術　吉田たかよし
1488 大人もハマる週末面白実験　左巻健男／滝川洋二／こうのにしき＝編著
1493 計算力を強くする　鍵本　聡
1516 競走馬の科学　JRA競走馬総合研究所＝編
1520 図解　鉄道の科学　宮本昌幸
1552 「計画力」を強くする　加藤昭吉
1553 図解　つくる電子回路　加藤ただし
1573 手作りラジオ工作入門　西田和明
1584 理系のための口頭発表術　ロバート・R・H・アンホルト／鈴木　炎／I・S・リー＝訳
1596 理系のための人生設計ガイド　坪田一男
1603 今さら聞けない科学の常識　朝日新聞科学グループ＝編
1623 「分かりやすい教え方」の技術　藤沢晃治
1630 伝承農法を活かす家庭菜園の科学　木嶋利男
1653 理系のための英語「キー構文」46　原田豊太郎
1656 今さら聞けない科学の常識2　朝日新聞科学グループ＝編
1660 図解　電車のメカニズム　宮本昌幸＝編著
1666 理系のための「即効！」卒業論文術　中田　亨
1671 理系のための研究生活ガイド　第2版　坪田一男

ブルーバックス　趣味・実用関係書（II）

- 1676 図解 橋の科学　土木学会関西支部＝編　田中輝彦／渡邊英一他
- 1688 武術「奥義」の科学　吉福康郎
- 1695 ジムに通う前に読む本　桜井静香
- 1696 ジェット・エンジンの仕組み　吉中 司
- 1707 「交渉力」を強くする　藤沢晃治
- 1725 魚の行動習性を利用する釣り入門　川村軍蔵
- 1753 理系のためのクラウド知的生産術　堀 正岳
- 1773 「判断力」を強くする　藤沢晃治
- 1783 知識ゼロからのExcelビジネスデータ分析入門　住中光夫
- 1791 卒論執筆のためのWord活用術　田中幸夫
- 1793 論理が伝わる 世界標準の「書く技術」　倉島保美
- 1796 「魅せる声」のつくり方　篠原さなえ
- 1813 研究発表のためのスライドデザイン　宮野公樹
- 1817 東京鉄道遺産　小野田 滋
- 1835 ネットオーディオ入門　山之内 正
- 1837 理系のためのExcelグラフ入門　金丸隆志
- 1847 論理が伝わる 世界標準の「プレゼン術」　倉島保美
- 1858 プロに学ぶデジタルカメラ「ネイチャー」写真術　水口博也
- 1863 新幹線50年の技術史　曽根 悟
- 1864 科学検定公式問題集 5・6級　竹内 薫＝監修　桑子 研／竹田淳一郎
- 1868 基準値のからくり　村上道夫／永井孝志　小野恭子／岸本充生
- 1877 山に登る前に読む本　能勢 博
- 1882 「ネイティブ発音」科学的上達法　藤田佳信
- 1886 関西鉄道遺産　小野田 滋
- 1895 「育つ土」を作る家庭菜園の科学　木嶋利男
- 1900 科学検定公式問題集 3・4級　竹内 薫＝監修　桑子 研／竹田淳一郎
- 1904 デジタル・アーカイブの最前線　時実象一
- 1910 研究を深める5つの問い　宮野公樹
- 1914 論理が伝わる 世界標準の「議論の技術」　倉島保美
- 1915 理系のための英語最重要「キー動詞」43　原田豊太郎
- 1919 「説得力」を強くする　藤沢晃治
- 1920 理系のための研究ルールガイド　坪田一男
- 1926 SNSって面白いの？　草野真一
- 1934 世界で生きぬく理系のための英文メール術　吉形一樹
- 1938 門田先生の3Dプリンタ入門　門田和雄
- 1947 50ヵ国語習得法　新名美次
- 1948 すごい家電　西田宗千佳
- 1951 研究者としてうまくやっていくには　長谷川修司
- 1958 理系のための法律入門 第2版　井野邊 陽
- 1959 図解 燃料電池自動車のメカニズム　川辺謙一
- 1965 理系のための論理が伝わる文章術　成清弘和
- 1966 サッカー上達の科学　村松尚登

ブルーバックス　生物学関係書(I)

ブルーバックス　生物学関係書（II）

1853 図解　内臓の進化　岩堀修明
1854 カラー図解　EURO版　バイオテクノロジーの教科書（上）　ラインハート・レンネバーグ　小林達彦＝監修　田中暉夫／奥原正國＝訳
1855 カラー図解　EURO版　バイオテクノロジーの教科書（下）　ラインハート・レンネバーグ　小林達彦＝監修　田中暉夫／奥原正國＝訳
1861 発展コラム式　中学理科の教科書　改訂版　生物・地球・宇宙編　石渡正志　滝川洋二＝編
1872 マンガ　生物学に強くなる　堂嶋大輔＝作　渡邊雄一郎＝監修
1874 もの忘れの脳科学　苧阪満里子
1875 カラー図解　アメリカ版　大学生物学の教科書　第4巻　進化生物学　D・サダヴァ他　石崎泰樹　斎藤成也＝監訳
1876 カラー図解　アメリカ版　大学生物学の教科書　第5巻　生態学　D・サダヴァ他　石崎泰樹　斎藤成也＝監訳
1884 驚異の小器官　耳の科学　杉浦彩子
1889 社会脳からみた認知症　伊古田俊夫
1892 「進撃の巨人」と解剖学　布施英利
1898 哺乳類誕生　乳の獲得と進化の謎　酒井仙吉
1902 巨大ウイルスと第4のドメイン　武村政春
1923 コミュ障　動物性を失った人類　正高信男
1929 心臓の力　柿沼由彦
1943 神経とシナプスの科学　杉　晴夫
1944 細胞の中の分子生物学　森　和俊
1945 芸術脳の科学　塚田　稔
1964 脳からみた自閉症　大隅典子
1990 カラー図解　進化の教科書　第1巻　進化の歴史　カール・ジンマー　ダグラス・J・エムレン　更科　功／石川牧子／国友良樹＝訳
1991 カラー図解　進化の教科書　第2巻　進化の理論　カール・ジンマー　ダグラス・J・エムレン　更科　功／石川牧子／国友良樹＝訳
1992 カラー図解　進化の教科書　第3巻　系統樹や生態から見た進化　カール・ジンマー　ダグラス・J・エムレン　更科　功／石川牧子／国友良樹＝訳
2010 生物はウイルスが進化させた　武村政春
2018 カラー図解　古生物たちのふしぎな世界　土屋　健／田中源吾＝協力
2037 我々はなぜ我々だけなのか　川端裕人／海部陽介＝監修
2053 鳥！　驚異の知能　ジェニファー・アッカーマン　鍛原多惠子＝訳
2070 筋肉は本当にすごい　杉　晴夫
2077 海と陸をつなぐ進化論　須藤　斎
2088 植物たちの戦争　日本植物病理学会＝編著
2095 深海——極限の世界　藤倉克則・木村純一＝編著　海洋研究開発機構＝協力
2099 王家の遺伝子　石浦章一

ブルーバックス　事典・辞典・図鑑関係書

569 毒物雑学事典　大木幸介
1084 図解　わかる電子回路　加藤　肇／見城尚志／高橋　久
1150 音のなんでも小事典　日本音響学会＝編
1188 金属なんでも小事典　増本　健＝監修　ウォーク＝編著
1484 単位171の新知識　星田直彦
1614 料理のなんでも小事典　日本調理科学会＝編
1624 コンクリートなんでも小事典　土木学会関西支部＝編　井上　晋　他
1642 新・物理学事典　大槻義彦／大場一郎＝編
1653 理系のための英語「キー構文」46　原田豊太郎
1660 図解　電車のメカニズム　宮本昌幸＝編著
1676 図解　橋の科学　土木学会関西支部＝編　田中輝彦／渡邊英一　他
1761 声のなんでも小事典　和田美代子　米山文明＝監修
1762 完全図解　宇宙手帳　渡辺勝巳／JAXA（宇宙航空研究開発機構）＝協力
2028 元素118の新知識　桜井　弘＝編